강사는 누구나 한다. 다만
강사 비수기 5개월은 아무나 극복하지 못한다.

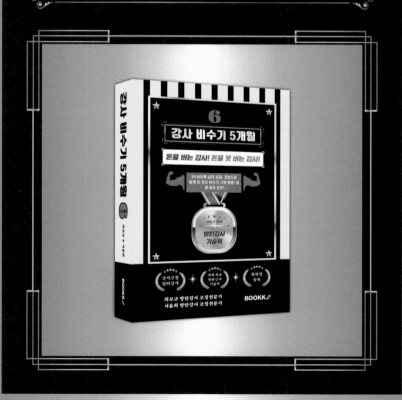

특허청 등록
최보규 자기계발코칭 창시자
등록 번호: 제 40-2072344 호

강사 비수기 5개월

돈을 버는 강사! 돈을 못 버는 강사!

20,000명 심리 상담, 코칭으로
알게 된 강사 비수기 극복 방법!
세계 최초 오픈!

ONLY ONE
방탄강사
기술력

특허청 등록
최보규 자기계발코칭 창시자
등록 번호: 제 40-2072344 호

강사는 누구나 한다. 다만
강사 비수기 5개월은 아무나 극복하지 못한다.

방탄강사기술력 사명

들어라 하지 말고 듣게 하자.
누구처럼 살지 말고 나답게 살자.
좋아하게 하지 말고 좋아지게 하자.
마음을 얻으려 하지 말고 마음을 열게 하자.
믿으라 말하지 말고 믿을 수 있는 사람이 되자.
좋은 사람을 기다리지 말고 좋은 사람이 되어주자.
보여주는(인기) 인생을 사는 것이 아닌
보여지는(인정) 인생을 살아가자.
나 이런 사람이야 말하지 않아도 이런 사람이구나.
몸, 머리, 마음으로 느끼게 하자

- 최보규 방탄기술력 창시자 -

강사 비수기 5개월
머리말

강사는 누구나 한다. 다만
강사 비수기 5개월은 아무나 극복하지 못한다.

돈을 버는 강사! 돈을 못 버는 강사!

20,000명 심리 상담, 코칭으로
알게 된 강사 비수기 극복 방법!
세계 최초 오픈!

★ ★ ★
ONLY ONE
방탄강사
기술력

강사 비수기 5개월!

극복 프로젝트

(100만 프리랜서 비수기 극복)

비수기 현실을 알아야만
프리랜서 비수기, 강사 비수기를
극복 할 수 있다.
프리랜서(강사)
비수기 극복을 위한 프로젝트!
시작한다!

(100만 프리랜서 비수기 극복)

강사 비수기 5개월

프르랜서(강사) **39%**가 평균 152만 원.
(24년 최저 임금 206만 원)
최저 임금 보다 못 버는 강사가 대부분이다.

100만 프리랜서 90%가 생계형!

강사 비수기 5개월

생계형 강사가 90% 현실인데 강사양성 하는 교육자들, 강사책들 대부분이 "한 달에 1,000만 원 강사 될 수 있습니다! 1억 연봉 강사 될 수 있습니다!" 라는 거짓말로 시작하는 강사들을 현혹시킨다. 강사 직업에 직무유기를 하고 있다.

한 달 1,000만 원 강사?
1억 연봉 강사?

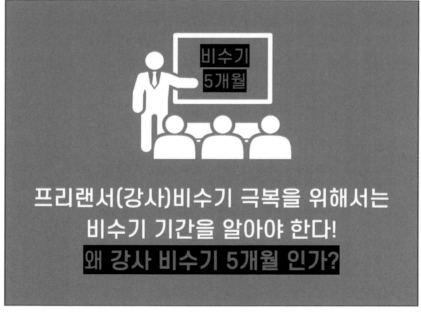

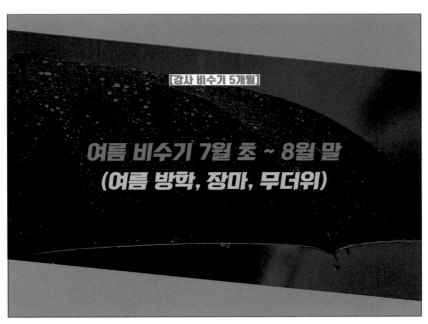

[강사 비수기 5개월]

여름 비수기 7월 초 ~ 8월 말
(여름 방학, 장마, 무더위)

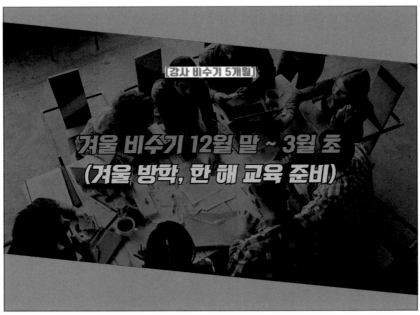

[강사 비수기 5개월]

겨울 비수기 12월 말 ~ 3월 초
(겨울 방학, 한 해 교육 준비)

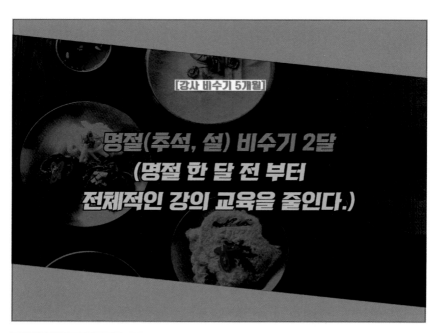

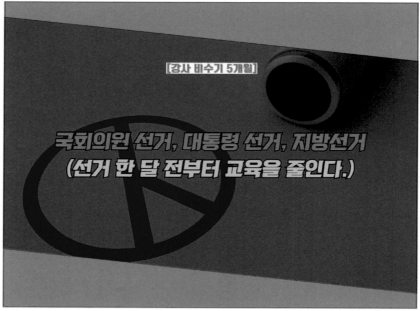

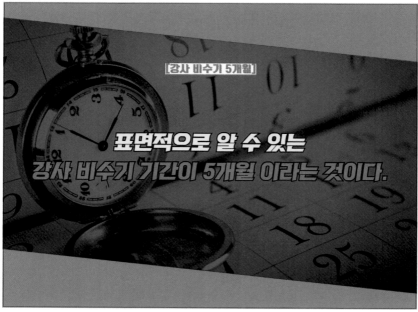

강사 비수기 5개월을
극복하기 위한 선택지는
2가지뿐이다.

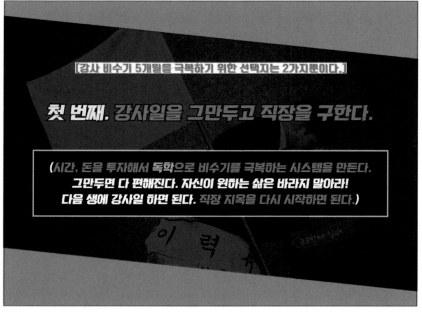

[강사 비수기 5개월을 극복하기 위한 선택지는 2가지뿐이다.]

첫 번째. 강사일을 그만두고 직장을 구한다.

(시간, 돈을 투자해서 독학으로 비수기를 극복하는 시스템을 만든다.
그만두면 다 편해진다. 자신이 원하는 삶은 바라지 말아라!
다음 생에 강사일 하면 된다. 직장 지옥을 다시 시작하면 된다.)

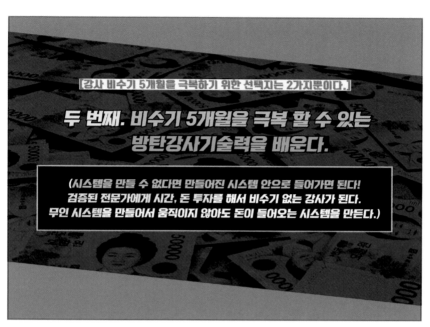

20,000명 심리 상담, 코칭으로 알게 된
강사 비수기 5개월 돈 못 버는 강사 6가지 유형

1. 강사 인맥 없음.
2. 강의 거래처 없음.
3. 강사 스펙 없음.
4. 강사료 10만 원 이하 강의만 하는 강사 (평균 10건 강의 중 80%가 10만 원 이하 강의를 하는 강사. 10건 중 8건 평균 강사료가 1시간에 10만 원 이라면 강사 몸값은 10만 원이 되는 것이다.)
5. 강의 경력이 10년, 20년이 되어도 강사료가 그대로인 강의를 하는 강사 (관공서 강의, 학교 강의, 복지관 강의, 의무 교육 강의...강사료가 100년이 지나도 고정되어 있는 강의 분야)
6. 온라인 콘텐츠, 디지털 콘텐츠 디자인 제작을 못하는 강사

#. 6가지 유형 중 한 가지라도 해당되면 돈을 벌 수 없다.

20,000명 심리 상담, 코칭으로 알게 된
강사 비수기 5개월 돈 버는 강사 6가지 유형

1. 강사 양성 교육 시스템(강사 교육, 코칭)이 있는 강사
2. 민간 자격증 교육 시스템(검증된 민간 자격증 발급 기관)이 있는강사
3. 단톡, 밴드, 카페, 모임방(100명 이상)을 운영하는 단체, 협회 장
4. 강사 에이전시(기업과 강사를 연결) 역할을 하는 단체, 협회 장
5. 강의 전문 분야로 온라인 콘텐츠 제작

   (PPT 디자인, 영상 디자인, 홍보 디자인)을 할 수 있는 강사
6. 책, 디지털 콘텐츠 제작으로 무인 시스템을 만든 강사

#. 6가지 유형을 모두 하더라도 돈을 무조건 버는 것이 아니다. 극소수 강사만 돈을 번다.(0.1%)

돈 못 버는 강사 6가지 유형

돈 버는 강사 6가지 유형

지금까지 내용을 제대로 봤다면
무조건 이런 생각이 들 것이다.

돈 못 버는 강사 6가지 유형

돈 버는 강사 6가지 유형

"강사 비수기 5개월 돈 버는 강사 6가지 유형 중에는 하나도 해당이 안 되고 돈을 못 버는 강사 6가지 유형에는 해당되는 게 많은데... 강사일 접어야 되나? 강사 직업 앞이 깜깜하네. 강사일 너무 대충 했다. 강사 직업 보통이 아니다. 강사일 그래도 미련이 남았는데 지금부터라도 제대로 하고 싶은데 방법이 없나?"

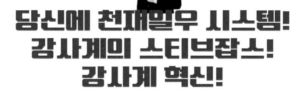

당신에 천재일우 시스템!
강사계의 스티브잡스!
강사계 혁신!

[천재일우(千載一遇): 천 년에 한 번 만난다는 뜻으로 좀처럼 만나기 어려운 기회]

Google 자기계발아마존　　▶YouTube 방탄자기계발　　NAVER 방탄강사기술력　　NAVER 최보규

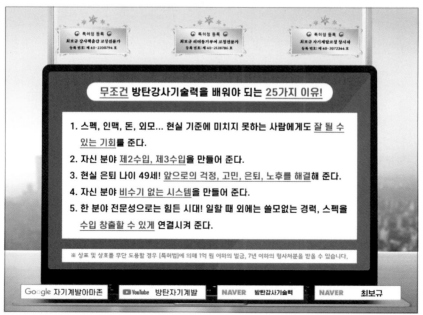

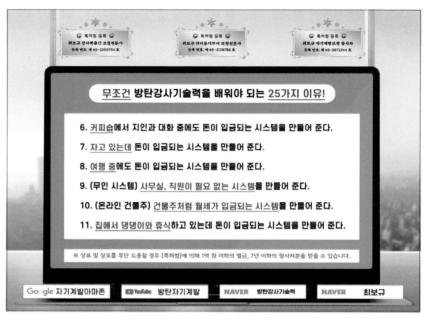

무조건 **방탄강사기술력**을 배워야 되는 **25가지 이유!**

6. 커피숍에서 지인과 대화 중에도 돈이 입금되는 시스템을 만들어 준다.

7. 자고 있는데 돈이 입금되는 시스템을 만들어 준다.

8. 여행 중에도 돈이 입금되는 시스템을 만들어 준다.

9. (무인 시스템) 사무실, 직원이 필요 없는 시스템을 만들어 준다.

10. (온라인 건물주) 건물주처럼 월세가 입금되는 시스템을 만들어 준다.

11. 집에서 댕댕이와 휴식하고 있는데 돈이 입금되는 시스템을 만들어 준다.

※ 상표 및 상호를 무단 도용할 경우 [특허법]에 의해 1억 원 이하의 벌금, 7년 이하의 형사처분을 받을 수 있습니다.

Google 자기계발아마존   YouTube 방탄자기계발   NAVER 방탄강사기술력   NAVER 최보규

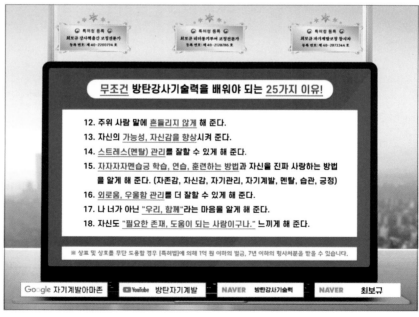

무조건 **방탄강사기술력**을 배워야 되는 **25가지 이유!**

12. 주위 사람 말에 흔들리지 않게 해 준다.

13. 자신의 가능성, 자신감을 향상시켜 준다.

14. 스트레스(멘탈) 관리를 잘할 수 있게 해 준다.

15. 자자자멘탈긍 학습, 연습, 훈련하는 방법과 자신을 진짜 사랑하는 방법
    을 알게 해 준다. (자존감, 자신감, 자기관리, 자기계발, 멘탈, 습관, 긍정)

16. 외로움, 우울함 관리를 더 잘할 수 있게 해 준다.

17. 나 너가 아닌 "우리, 함께"라는 마음을 알게 해 준다.

18. 자신도 "필요한 존재, 도움이 되는 사람이구나." 느끼게 해 준다.

※ 상표 및 상호를 무단 도용할 경우 [특허법]에 의해 1억 원 이하의 벌금, 7년 이하의 형사처분을 받을 수 있습니다.

Google 자기계발아마존   YouTube 방탄자기계발   NAVER 방탄강사기술력   NAVER 최보규

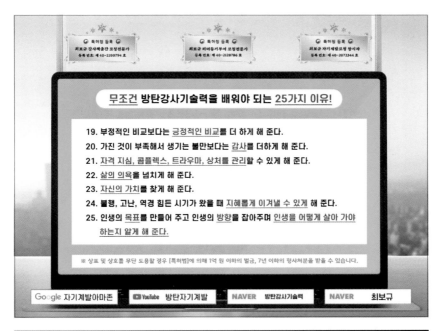

방탄강사기술력

커피숍에서 지인과 대화 중에도 돈이 입금되는 시스템?	자고 있는데 돈을 버는 시스템?	여행 중에도 돈이 입금되는 시스템?
사무실, 직원이 필요 없는 시스템?	건물주처럼 월세가 입금되는 시스템?	집에서 댕댕이와 휴식하고 있는데 돈이 입금되는 시스템?

방탄강사기술력은
강사 비수기 극복, 수입 창출만 하는
기술력이 아니다.
"당신은 제가 좋은 사람이 되고
싶도록 만들어요." 말을 들을 수 있는
강사 인재를 양성하는 기술력이다!

| Google 자기계발아마존 | YouTube 방탄자기계발 | NAVER 방탄강사기술력 | NAVER 최보규 |

23

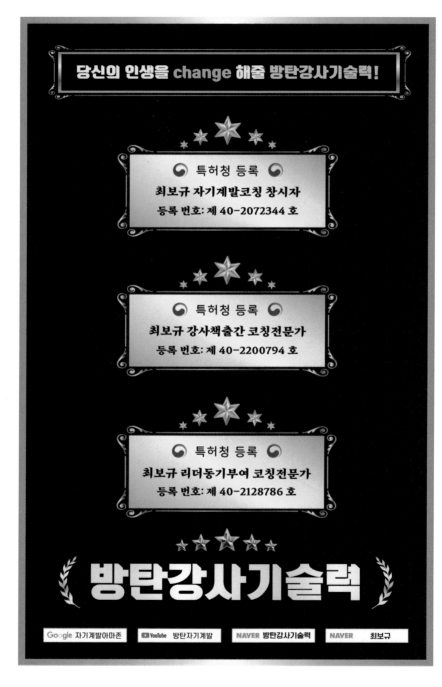

당신의 인생을 change 해줄 방탄강사기술력!

특허청 등록
최보규 자기계발코칭 창시자
등록 번호: 제 40-2072344 호

특허청 등록
최보규 강사책출간 코칭전문가
등록 번호: 제 40-2200794 호

특허청 등록
최보규 리더동기부여 코칭전문가
등록 번호: 제 40-2128786 호

방탄강사기술력

Google 자기계발아마존   YouTube 방탄자기계발   NAVER 방탄강사기술력   NAVER   최보규

평균 희망 은퇴 73세, 현실 은퇴 나이 49세!
100세 시대 언제까지 몸(노동)으로만
일해서 돈을 벌 것인가?

세상, 현실 기준에서 스펙, 돈, 인맥, 자산 등이 없어서 100세까지 노동을 해야 되고 몸까지 아프면 더 답이 없는 상황! 젊을 때는 100가지 중 99가지를 할 수 있지만 나이 들면 100가지 중 99가지를 할 수 없다. 3고 시대, AI 시대, 챗GPT 시대에 자신의 직업이 사라 질 수 있는 상황에서 어떻게 준비, 대비할 것인가?

 방탄강사기술력
선택이 아닌 필수!

기업들 희망퇴직 만 40세부터... **희망퇴직 나이 73세** 이고 대한민국 현실 은퇴 나이 49세! 20대 은퇴 예정 자? 30대 은퇴 확정자? 40대 은퇴 위험군?

노벨상 받은 사람, 하버드 대학교 교수, 은퇴 전문가, 노후 전문가들 1,000명 이면 1,000명이 말하는 것은 최고의 은퇴 준비, 노후 준비는 100세까지 <u>현역</u>을 하 는 것이다. 왜 가지고 있는 경력을 썩히고 있는가? 쌓 은 경력은 사직, 퇴직, 은퇴... 하면 인정해 주지 않는 현실 속에서 쌓은 경력으로 100세까지 지속할 수 있 는 JOB이 있다면? 나이 제한 없이 할 수 있는 JOB이 있다면?

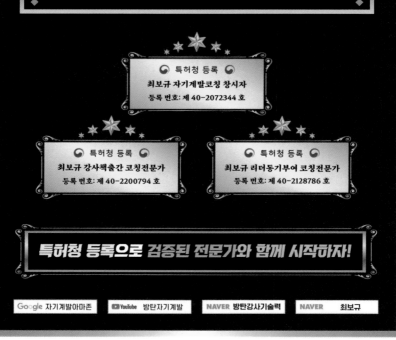

◉ 특허청 등록 ◉
최보규 자기계발코칭 창시자
등록 번호: 제 40-2072344 호

◉ 특허청 등록 ◉
최보규 강사책출간 코칭전문가
등록 번호: 제 40-2200794 호

◉ 특허청 등록 ◉
최보규 리더동기부여 코칭전문가
등록 번호: 제 40-2128786 호

특허청 등록으로 검증된 전문가와 함께 시작하자!

Google 자기계발아마존　　YouTube 방탄자기계발　　NAVER 방탄강사기술력　　NAVER 최보규

한 분야 전문성으로 힘든 시대다. 이제는 포트폴리오 커리어 시대다. (포트폴리오 커리어: 한 분야 전문성 외 다수에 전문성이 있는 사람) 자신 경력을 왜 썩히고 있는가! 자신 경력을 활용해서 6가지 수입을 발생시킬 수 있는 방탄강사기술력! 언제까지 몸(노동)으로 일할 것인가? 자신 경력이 일하게 하자! 자신 콘텐츠가 일하게 하자! 시스템이 일하게 하자!

★ ★ ★ ★ ★
직장은 자신 인생을 책임져 주지 않지만
방탄강사기술력은 자신 인생을 책임져 준다.
직장은 자신을 배신하지만
방탄강기술력은 자신을 배신하지 않는다.

Google 자기계발아마존　▶YouTube 방탄자기계발　NAVER 방탄강사기술력　NAVER 최보규

방탄자기계발사관학교

www.방탄자기계발사관학교.com

최보규 대표

상담, 코칭, 강의, 컨설팅 문의
010-6578-8295

특허청 등록
최보규 자기계발코칭 창시자
등록 번호: 제 40-2072344 호

특허청 등록
최보규 강사책출간 코칭전문가
등록 번호: 제 40-2200794 호

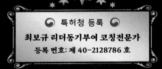

특허청 등록
최보규 리더동기부여 코칭전문가
등록 번호: 제 40-2128786 호

지금처럼 하면 <u>진짜 큰일</u> 난다.
정신 바짝 차리자!
자신을 못 믿겠으면 자신을 믿어주는
특허청 등록으로 검증된
최보규 코칭전문가를 믿고 시작하자!

Google 자기계발아존   YouTube 방탄자기계발   NAVER 방탄자기계발사관학교   NAVER 최보규

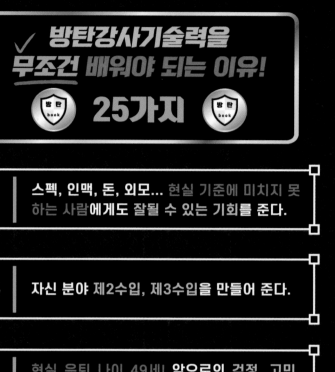

✓ 방탄강사기술력을 무조건 배워야 되는 이유! 25가지

1 스펙, 인맥, 돈, 외모... 현실 기준에 미치지 못하는 사람에게도 잘될 수 있는 기회를 준다.

2 자신 분야 제2수입, 제3수입을 만들어 준다.

3 현실 은퇴 나이 49세! 앞으로의 걱정, 고민, 은퇴, 노후를 해결해 준다.

4 자신 분야 비수기 없는 시스템을 만들어 준다.

5 한 분야 전문성으로는 힘든 시대! 일할 때 외에는 쓸모없는 경력, 스펙을 수입 창출할 수 있게 연결시켜 준다.

29

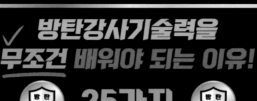

  25가지

---

6 | 커피숍에서 지인과 대화 중에도 돈이 입금되는 시스템을 만들어 준다.

---

7 | 자고 있는데 돈이 입금되는 시스템을 만들어 준다.

---

8 | 여행 중에도 돈이 입금되는 시스템을 만들어 준다.

---

9 | (무인 시스템) 사무실, 직원이 필요 없는 시스템을 만들어 준다.

---

10 | (온라인 건물주) 건물주처럼 월세가 입금되는 시스템을 만들어 준다.

✓ 방탄강사기술력을
무조건 배워야 되는 이유!
25가지

11 | 집에서 댕댕이와 휴식하고 있는데 돈이 입금 되는 시스템을 만들어 준다.

12 | 주위 사람 말에 흔들리지 않게 해 준다.

13 | 자신의 가능성, 자신감을 향상시켜 준다.

14 | 스트레스(멘탈) 관리를 잘할 수 있게 해 준다.

15 | 자자자자멘습긍 학습, 연습, 훈련하는 방법과 자신을 진짜 사랑하는 방법 을 알게 해 준다. (자존감, 자신감, 자기 관리, 자기계발, 멘탈, 습관, 긍정)

✓ 방탄강사기술력을
무조건 배워야 되는 이유!

 25가지

16 | 외로움, 우울함 관리를 더 잘할 수 있게 해 준다.

17 | 나 너가 아닌 "우리, 함께"라는 마음을 알게 해 준다.

18 | 자신도 "필요한 존재, 도움이 되는 사람이구나." 느끼게 해 준다.

19 | 부정적인 비교보다는 긍정적인 비교를 더 하게 해 준다.

20 | 가진 것이 부족해서 생기는 불만보다는 감사를 더하게 해 준다.

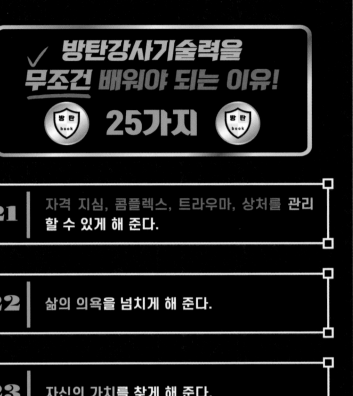

✓ 방탄강사기술력을 무조건 배워야 되는 이유!
25가지

21 자격 지심, 콤플렉스, 트라우마, 상처를 관리할 수 있게 해 준다.

22 삶의 의욕을 넘치게 해 준다.

23 자신의 가치를 찾게 해 준다.

24 불행, 고난, 역경 힘든 시기가 왔을 때 지혜롭게 이겨낼 수 있게 해 준다.

25 인생의 목표를 만들어 주고 인생의 방향을 잡아주며 인생을 어떻게 살아 가야 하는지 알게 해 준다.

강사 비수기 5개월
목차

강사는 누구나 한다. 다만
강사 비수기 5개월은 아무나 극복하지 못한다.

돈을 버는 강사! 돈을 못 버는 강사!

20,000명 심리 상담, 코칭으로
알게 된 강사 비수기 극복 방법!
세계 최초 오픈!

★ ★ ★ ★
ONLY ONE
방탄강사
기술력

목차

2장. 강사 비수기 5개월을 극복하기
위한 방탄강사기술력 6가지 시스템

강사는 누구나 한다. 다만
강사 비수기 5개월은 아무나 극복하지 못한다.

돈을 버는 강사! 돈을 못 버는 강사!

20,000명 심리 상담, 코칭으로
알게 된 강사 비수기 극복 방법!
세계 최초 오픈!

★ ★ ★ ★
ONLY ONE
방탄강사
기술력

1. 포트폴리오 커리어 강사 리더는 왜! 작가 자기계발을 해야 하는가?

강사 리더는 자신 분야의 전문가다. 짝퉁 전문가는 매뉴얼, 시스템이 머리에만 있어 말로만 한다. 명품 전문가는 매뉴얼, 시스템이 자료화(전문 서적)되어 있다. 강사 리더의 경력은 스펙이 아니다. 강사 리더가 경력을 자료화(책 출간)할 때 강력한 스펙이 된다!

책으로 PPT 만들기 매뉴얼 2-1

특허청 등록
최보규 리더동기부여 코칭전문가
등록 번호: 제 40-2128786 호

강사료 200만 원
방탄 리더십
2시간 특강 교안

책을 출간하면 저자 특강을 하거나 출간 한 책으로 강의, 교육, 코칭을 해서 수입 창출을 한다. 출간한 책으로 PPT 교육, 강의, 코칭 자료를 만들어서 해야지만 수입이 올라가고 전문성을 인정받는 것은 아니다. 하지만 몸값을 올리는 사람, 삼성(진정성, 전문성, 신뢰성)을 인정받는 사람들은 출간 한 책으로 PPT 교육, 강의, 코칭 자료를 만든다는 것을 명심해야 한다.

3) 책 목차 별로 교육 PPT로 만드는 기술력

출간 한 책을 교육 PPT로 만드는 분량은 기본 1시간, 특강(2시간)을 기준으로 만든다. 1시간 ~ 2시간 교육 PPT를 만들 수 있다면 3개월, 6개월, 1년 교육 PPT도 만들 수 있다.

강사가 책을 출간했다면 교육 PPT 교안 작업이 좀 더 수월할 것이지만 일반 사람이 출간 한 책으로 교육, 강의, 코칭 수입을 올리기 위해서 교육 PPT를 만들기는 쉽지는 않다. 하지만 걱정 1%도 하지 않아도 된다. 세계 최초 출판계의 혁신인 방탄book기술력 코칭을 받으면 일반 사람도 충분히 만들 수 있다. 지금 상담 받으면 천재일우가 온 것이고 "다음에 상담 받아야지" 하는 순간 천재일우가 사라진다.
★ 최보규 방탄book기술력 창시자 010-6578-8295 ★

시중에 책 출간 교육, 코칭 하는 전문가 중에 책 쓰기, 책 출간만 교육, 코칭만 한다. 책 쓰기, 책 출간 교육, 코칭 하면서 출간 한 책으로 교육, 강의, 코칭 할 수 있는 PPT 교안까지 만드는 방법을 알려주는 사람은 **최보규 전문가 뿐이다. 단언컨대 세계에서 유일하다!**

"함께 잘되고 잘 살자" 신념이 있기에 방탄book기술력 코칭 할 때 오픈하는 기술력을 지금 이 책에 세계 최초로 오픈하는 것이다.

그 무엇이든 세상에서 가장 쉽게 배우는 방법은 벤치마킹하는 것이다. 만들어져 있는 방법 예시를 반복해서 학습하고 따라 한다면 가장 빠르게 기술력을 배울 수 있다는 것이다.

다음으로 나오는 출간 한 《나다운 방탄 리더십》책을 방탄 동기부여 교육, 강의, 코칭 PPT로 만들었던 것을 참고해서 벤치마킹하길 바란다.

- 출간 한 《나다운 방탄 리더십》책을 교육 PPT로 만드는 기술력

※. 방탄 리더십 2시간 강의 강사료 200만 원 교안을 오픈 한다는 것은 강사의 통장을 오픈하는 거와 같고 영업 기밀을 오픈하는 거와 같다.

▶ 특허청 등록 법
※ 상표 및 상호를 무단 도용할 경우
[특허법]에 의해 1억 원 이하의 벌금, 7년 이하의 형사 처분을 받을 수 있습니다.

검증된 코칭전문가

◎ 특허청 등록 ◎

최보규 강사책출간 코칭전문가

등록 번호: 제 40-2200794 호

◎ 특허청 등록 ◎

최보규 자기계발코칭 창시자

등록 번호: 제 40-2072344 호

◎ 특허청 등록 ◎

최보규 리더동기부여 코칭전문가

등록 번호: 제 40-2128786 호

※ 상표 및 상호를 무단 도용할 경우
[특허법]에 의해 1억 원 이하의 벌금, 7년 이하의 형사처분을 받을 수 있습니다.

44

저작권법

방탄자기계발사관학교에서 이루어지는 모든 교육, 자료, 코칭은 대한민국 저작권법의 보호를 받습니다. 작성된 모든 내용의 권리는 작성자에게 있으며, 작성자의 동의 없는 사용이 금지됩니다.

본 자료의 일부 혹은 전체 내용을 무단으로 복제/배포하거나 2차적 저작물로 재편집하는 경우, 5년 이하의 징역 또는 5천만원 이하의 벌금과 민사상 손해배상을 청구합니다.

※ 저작권법 제 30조(사적이용을 위한 복제)
공표된 저작물을 영리를 목적으로 하지 아니하고, 개인적으로 이용하거나 가정 및 이에 준하는 한정된 범위 안에서 이용하는 경우에는 그 이용자는 이를 복제할 수 있다. 다만, 공중의 사용에 제공하기 위하여 설치된 복사기기에 의한 복제는 그러지 아니하다.

※ 저작권법 제 136조(벌칙)의 ① 다음 각 호의 어느 하나에 해당하는 자는 5년 이하의 징역 또는 5천만원 이하의 벌금에 처하거나 이를 병과할 수 있다.

지적재산권 및 이 법에 따라 보호되는 재산적 권리(제93조에 따른 권리는 제외한다)를 복제, 공연, 공중송신, 전시, 배포, 대여, 2차적 저작물 작성의 방법으로 침해한 자

※ 민법 제750조(불법행위의 내용)
고의 또는 과실로 인한 위법행위로 타인에게 손해를 가한 자는 그 손해를 배상할 책임이 있다.

대한민국 저작권법

출간 한 《나다운 방탄 리더십》 책을 2시간 특강(방탄 리더십) 교육 PPT로 만들었던 순서를 먼저 설명하고 ① ~ ⑩번 하나씩 디자인한 교육 PPT를 오픈하겠다.

① 방탄 리더십 라포 형성 기법, 마음을 여는 기법

② 방탄 리더십 고, 틀, 선, 편 깨기

③ 방탄 리더십 서론
- 방탄 리더십 교육 PPT 목차 1
· [출간 한 《나다운 방탄 리더십》 책 내용]
· [출간 한 《나다운 방탄 리더십》 책 내용을 방탄 리더십 교육 PPT로 디자인]

④ SPOT 기법, 강의 집중 기법, 강의 환기 기법

⑤ 방탄 리더십 본론
- 방탄 리더십 교육 PPT 목차 2
· [출간 한 《나다운 방탄 리더십》 책 내용]
· [출간 한 《나다운 방탄 리더십》 책 내용을 방탄 리더십 교육 PPT로 디자인]

- 방탄 리더십 교육 PPT 목차 3
· [출간 한 《나다운 방탄 리더십》책 내용]
· [출간 한 《나다운 방탄 리더십》책 내용을 방탄 리더십 교육 PPT로 디자인]
- 방탄 리더십 교육 PPT 목차 4
· [출간 한 《나다운 방탄 리더십》책 내용]
· [출간 한 《나다운 방탄 리더십》책 내용을 방탄 리더십 교육 PPT로 디자인]

⑥ SPOT 기법, 강의 집중 기법, 강의 환기 기법

⑦ 방탄 리더십 결론
- 방탄 리더십 교육 PPT 목차 5
· [출간 한 《나다운 방탄 리더십》책 내용]
· [출간 한 《나다운 방탄 리더십》책 내용을 방탄 리더십 교육 PPT로 디자인]

⑧ SPOT 기법, 강의 집중 기법, 강의 환기 기법

⑨ 방탄 리더십 총정리

⑩ 방탄 리더십 피크앤드법칙(The Peak End Rule)

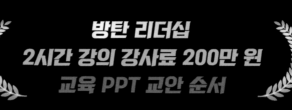

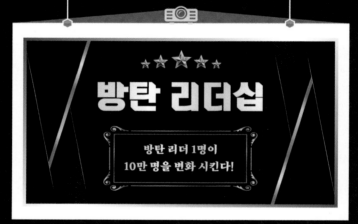

① 방탄 리더십 라포 형성 기법, 마음을 여는 기법
② 방탄 리더십 고.틀.선.편 깨기
③ 방탄 리더십 서론
④ SPOT 기법, 강의 집중 기법, 강의 환기 기법
⑤ 방탄 리더십 본론
⑥ SPOT 기법, 강의 집중 기법, 강의 환기 기법
⑦ 방탄 리더십 결론
⑧ SPOT 기법, 강의 집중 기법, 강의 환기 기법
⑨ 방탄 리더십 총정리
⑩ 방탄 리더십 피크앤드법칙(The Peak End Rule)

① 방탄 리더십 라포 형성 기법, 마음을 여는 기법

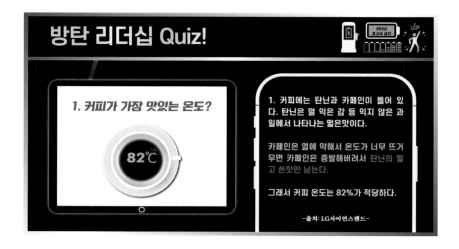

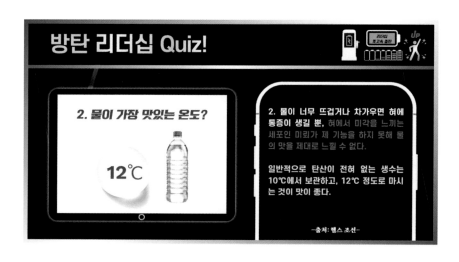

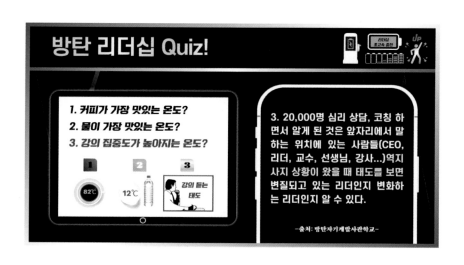

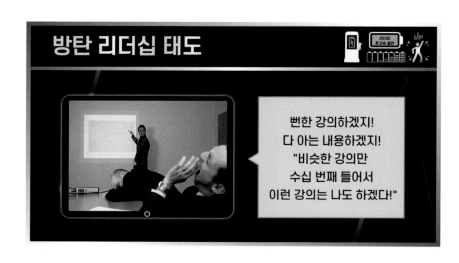

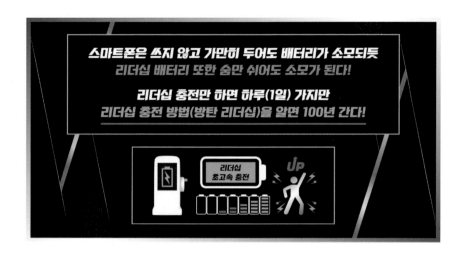

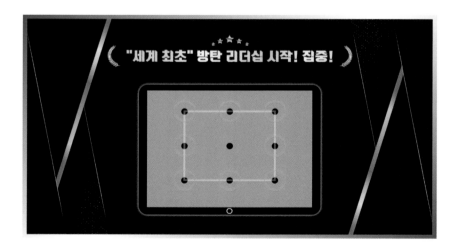

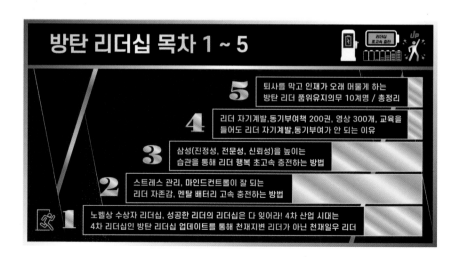

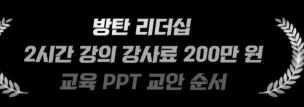

① 방탄 리더십 라포 형성 기법, 마음을 여는 기법
② 방탄 리더십 고.틀.선.편 깨기
③ 방탄 리더십 서론
④ SPOT 기법, 강의 집중 기법, 강의 환기 기법
⑤ 방탄 리더십 본론
⑥ SPOT 기법, 강의 집중 기법, 강의 환기 기법
⑦ 방탄 리더십 결론
⑧ SPOT 기법, 강의 집중 기법, 강의 환기 기법
⑨ 방탄 리더십 총정리
⑩ 방탄 리더십 피크앤드법칙(The Peak End Rule)

② 방탄 리더십 고.틀.선.편 깨기
· [출간 한 《나다운 방탄 리더십》 책 내용]

★ 지금까지 알고 있는 리더십은 다 잊어라?

서울특별시 지하철 2호선 신도림역 1번 출구 왼쪽으로 가면 현대백화점 지하 계단이 나온다. 어느 계단과 다를 거 없는 계단이다. 하지만 내려갈 때는 안 보이는 하트가 내려가서 계단을 올려다보면 사진에서 보듯 선명한 하트가 보인다.

성공, 돈, 권력에 눈이 멀어 리더 위치에서 중요한 것을 놓치고 있지는 않은가?

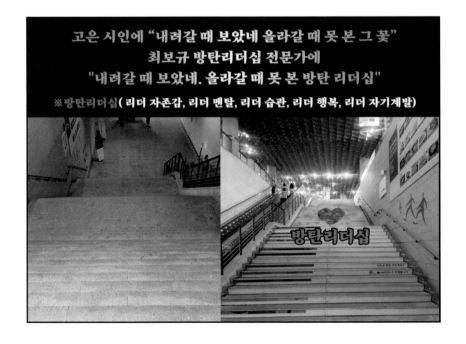

고은 시인에 "내려갈 때 보았네. 올라갈 때 못 본 그 꽃" 시처럼 위(성공, 돈, 권력)만 보고 올라가다 정작 중요한 것을 놓치는 리더가 되면 안 된다. **리더 위치에서 미처 보지 못한 리더 자존감(사랑), 리더 멘탈, 리더 습관, 리더 행복, 리더 자기계발을 통해 그 어떤 책에서도 말하지 않는 리더십의 하트를 지금부터 보게 해줄 것이다.**

세종 대왕 리더십, 링컨 리더십, 이순신 리더십, 대통령 리더십, 유명 인사들 리더십, 인기 스타들 리더십, 유명 운동선수 리더십 등이 있고 리더십 종류도 많겠지만 대표적인 리더십은 카리스마적 리더십, 코칭 리더십, 서번트 리더십, 감성 리더십, 윤리적 리더십, 셀프 리더십, 팀 리더십 등이 있다.

셀 수 없는 리더십이 있기에 그 누구 하나 정확하게 리더십이 몇 가지인지 알려 주는 사람이 없다. 그래서 방탄리더십 창시자가 정확하게 몇 가지가 있는지 알려 주겠다. 놀라지 말라. 너무 정확해서 모든 사람이 반박하지 못할 것이다.

현재 세계 인구는 80억 명이다. 그렇다면 리더십은 몇 가지일까? 80억 가지의 리더십이 있다. 사람 지문,

DNA가 같은 사람이 없듯이 리더십도 사람마다 같을 수 없다. 나다운 리더십을 만들어야 세상에 하나뿐인 방탄 리더십이 생겨 오래 지속되는 것이다. 사람마다 리더십 이 다르기 때문에 지금까지 알고 있는 리더십은 다 잊으라고 말을 하는 것이다.

다음은 어떤 환경에서 나다운 리더십(방탄리더십)이 나오는지 깨닫게 해주는 스토리텔링이다.

옛날 토끼 마을에 왕 토끼가 있었다.
평소 토끼들을 제대로 이끄는 데 어려움을 겪고 있다 보니 자신에게 뭔가 다른 것이 필요하다고 생각했다.
그 시점에 사자가 마치 천둥과 같은 목소리로 수많은 암사자들을 일사불란하게 이끌고 있는 것을 보고 사자의 털과 목소리를 흉내내기 시작했다.
왕 토끼는 사자의 모습과 목소리를 흉내 냈으나 그렇다고 해서 토끼들을 이끄는 데 어려움은 과거보다 더 힘들었다. 결국 왕 토끼는 사자에게 가서 물어보기로 했다. 사자와 같은 목소리를 터득하는 방법을 알려달라고 했다. 사자와 같은 목소리를 터득한다면 동물의 왕이 될 수 있고, 토끼들을 제대로 이끌 수 있다고 생각했기 때문이다. 근데, 사자의 생각은 아주 달랐다.
'내가 이 목소리로 암사자들을 통솔할 수 있는 이유는 내가 사자이기 때문이다. 나는 토끼를 이끌 수 없다. 그것은 네가 사자를 이끌 수 없는 이유와 같다. 네가 토끼들을 잘 이끌기 위해서는 무엇보다도 너는 완전한 토끼가 되어야 한다."
"네가 어떻게 하면 훌륭한 왕 토끼가 될 수 있는지는 누구도 아닌 네가 함께 생활하는 토끼들이 잘 알고 있을 것이다. 괜히 여기서 시간을 낭비하지 말고 그들에게 다가가서 직접 물어보아라. 그리고 그들의 이야기를 귀 기울여 가슴 깊이 들어라."
《부하직원이 말하지 않는 31가지 진실》

토끼는 토끼 리더십, 사자는 사자 리더십이 중요하듯이 한마디로 나다운 리더십(방탄리더십)이 중요한 것이다. 유명한 사람의 리더십이 중요한 것이 아니라 자신 조직에 필요한 나다운 리더십(방탄 리더십)으로 우리 가족, 팀원, 조직체에 필요한 리더십이 중요한 것이다.

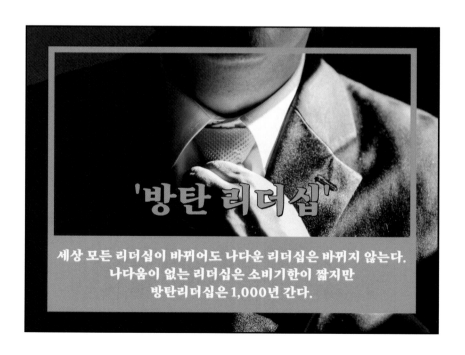

'방탄 리더십'

세상 모든 리더십이 바뀌어도 나다운 리더십은 바뀌지 않는다.
나다움이 없는 리더십은 소비기한이 짧지만
방탄리더십은 1,000년 간다.

세계 인구 80억 명
80억 개의 나다운 방탄리더십

**유명한 리더십 공식(책, 영상, 글)에 집착하지 말고
나다운 방탄리더십에 집중하라!**

- 리더의 품격
- 리더의 습관
- 리더 공부
- 셀프리더십
- 리더의 결
- 리더의 비전
- 리더는 체음이라
- 리더의 말투
- 조직과 리더
- 리더의 힘
- 리더십 방정식
- 리더십 가이드
- 죽지 않는 리더십

- 세뱃돈 리더
- 리더십 입문
- 리더의 정석1
- 리더의 정석2
- 리더의 정석3
- 리더의 정석4
- 리더의 정석5
- 리더의 정석6
- 리더의 정석7
- 풀어가는 리더십
- 붙대 리더

- 리더 사용 설명서1
- 성공한 리더십
- 성공한 리더십
- 감사 리더십
- 사랑 리더십
- 리더 나 인해
- 꿈꿀별 리더십
- 팀장 리더십
- 임원진 리더십
- 좋은 리더십
- 나쁜 리더십
- 리더, 리더십

- 사자의 리더십
- 호랑이 리더십
- 늑대 리더십
- 양치기 리더십
- 4차 리더십
- 체인지 리더십
- 리더십 셀린지
- 평장 리더십
- 위선적 리더십
- 진정 리더십
- 설쾌한 리더십
- 존중 리더십
- 겸손 리더십

★ 리더십의 고, 틀, 선, 편 깨기(고정관념, 틀, 선입견, 편견)

리더십이란 무엇인가?

리더십[leadership] 조직체를 끌어나가는 지도자의 역량. 단체의 지도자로서 그 단체가 지니고 있는 힘을 맘껏 발휘하고 구성원의 화합과 단결을 끌어낼 수 있는, 지도자의 자질을 말한다.

<지식백과>

20,000명 심리 상담, 코칭 하면서 알게 된 리더십의 고정관념이 있다.

조직체가 있고 자신을 따르는 사람이 있어야만 리더라고 착각하지만 혼자 있어도 리더이다. 혼자 있을 때는 리더십을 학습, 연습, 훈련하지 않다가 조직체, 따르는 사람이 생겨야만 리더십을 학습, 연습, 훈련을 하기 때문에 리더십이 어렵고 힘들다. 혼자 있을 때부터, 가정에서부터 리더십은 시작된다.

가정십, 부모십, 엄마십, 아빠십, 아들십, 딸십, 아이십, 청소년십, 청년십, 성인십, 시니어십, 리더십, 임원진십, 팀원십, 직원십, 견주십, 사랑십, 돈십, 인간관계십, 자존감십, 멘탈십, 습관십, 행복십, 자기계발십 등 자신에게 주어진 이름, 직위, 타이틀, 위치에 맞는 행동들이 리더십에 시작이다.

포노 사피엔스 시대['포노 사피엔스(phono sapiens)'는 '스마트폰(smartphone)'과 '호모 사피엔스(homo sapiens: 인류)'의 합성어로, 휴대폰을 신체의 일부처럼 사용하는 새로운 세대]는 "당신이 가지고 있는 리더십은 필요 없어요. 유명 인사, 스타들의 리더십을 무조건 따라 하세요."라는 말로 3혹[현혹, 유혹, 화혹: 화려함에 혹하는 것]을 시켜 나다운 리더 자존감, 나다운 리더 멘탈, 나다운 리더 습관, 나다운 리더 행복을 뺏기는지도 모르고 산다.

유명한 리더십, 인기 있는 사람들의 리더십을 맹신하여 따라 하면 득보다는 독이 많다. 왜 득보다는 독이 많을까? 한 사람의 리더십 공식이 나오기까지 수십 년 동안 시행착오, 대가 지불, 성향, 인고의 시간들이 모여 만들어졌기 때문이다. 리더십 공식만을 따라 하기에 안 되는 것이 당연하다.

리더십을 배우기 위해 시도했던 사람들 대부분이 "유명한 사람 리더십 공식을 시도했는데도 안 되는데 다른

64

사람 공식들 따라 한다고 되겠어. 나 안 해."라는 태도
가 생겨 리더십을 포기하여 인생, 삶의 질이 올라가지
않는 상황이 발생하여 자신 분야 삼성(진정성, 전문성,
신뢰성)을 높이지 못한다.

20,000명 심리 상담, 코칭 해보면 대부분 사람들이 "리
더십 강의, 교육, 영상, 책등을 수도 없이 계속 보는데도
안 돼요."라는 말을 한다.
리더십 공식들이 다 독이라고 말하는 것이 아니다.
올바른 노력을 해야 하는데 노오력만 하고 있으니 자신
의 소중한 시간, 돈 낭비만 하고 있다.

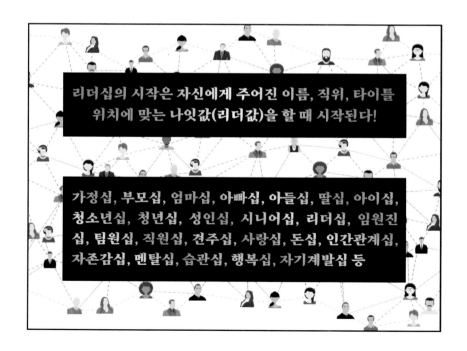

리더십의 시작은 자신에게 주어진 이름, 직위, 타이틀
위치에 맞는 나잇값(리더값)을 할 때 시작된다!

가정십, 부모십, 엄마십, 아빠십, 아들십, 딸십, 아이십,
청소년십, 청년십, 성인십, 시니어십, 리더십, 임원진
십, 팀원십, 직원십, 견주십, 사랑십, 돈십, 인간관계십,
자존감십, 멘탈십, 습관십, 행복십, 자기계발십 등

② 방탄 리더십 고.틀.선.편 깨기

· [출간 한 《나다운 방탄 리더십》 책 내용을 방탄 리더
십 교육 PPT로 디자인]

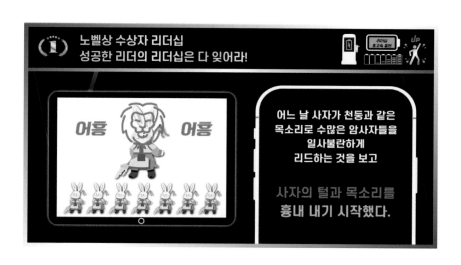

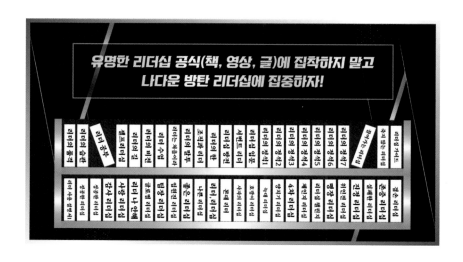

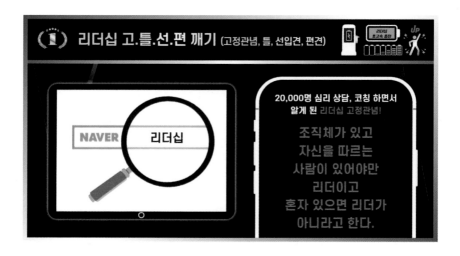

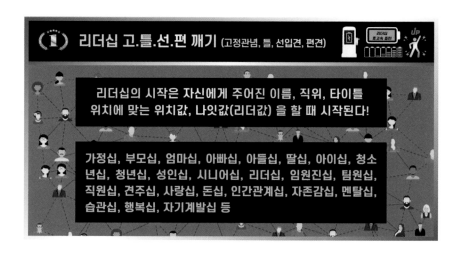

▶ 스토리텔링 전체 내용!

데이터의 1bit가 8개 모이면 1바이트(byte)가 된다. 그게 1000개 모이면 1킬로바이트, 그게 다시 1000개 모이면 1메가이트. 그렇게 1000배가 될 때마다 기가바이트, 테라바이트, 페타바이트, 엑사바이트, 제타바이트, 요타바이트, 브론토 바이트 등으로 확장된다. 지구상의 모든 모래알 수는 얼마일까. 40제타바이트다. 2003년 구글의 에릭 슈미츠 회장이 3000년 동안 지구상에 쌓인 문서를 모두 디지털화했다고 발표했다. 그게 5엑사바이트였다. 미국 국회도서관 5000개 분량의 데이터다."

이 말끝에 킴킴은 질문을 던졌다. "인류가 3000년 동안 쌓은 5엑사바이트의 데이터를 생산하는데 2017년에는 얼마나 걸렸을까? 하루가 걸렸다. 날마다 그만큼의 데이터가 축적되는 셈이다. 지금(2019년)은 얼마나 걸리는지 아나? 1분밖에 안 걸린다. 그럼 2020년에는 얼마나 걸릴까. 딱 10초다. 저녁 먹고 인증샷을 페이스북에 올릴 때마다 빅데이터가 생산된다. 빅데이터는 무시무시한 속도로 확장되고 있다. 과학자로서, 엔지니어로서 나는 그게 무섭다."

<중앙일보 마이크로소프트사 킴킴 "빅데이터와 인공지능, 그리고 명상">

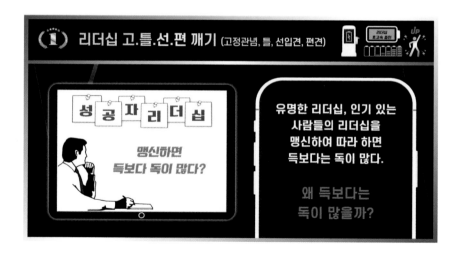

81

성공자 리더십

맹신하면
득보다는 독이
많은 2가지 이유?

20,000명
심리 상담, 코칭
하면서 알게 된
리더십 비밀!

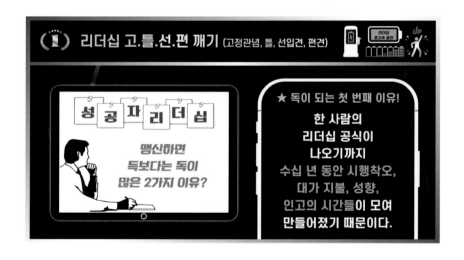

성공자 리더십

맹신하면
득보다는 독이
많은 2가지 이유?

★ 독이 되는 첫 번째 이유!
한 사람의
리더십 공식이
나오기까지
수십 년 동안 시행착오,
대가 지불, 성향,
인고의 시간들이 모여
만들어졌기 때문이다.

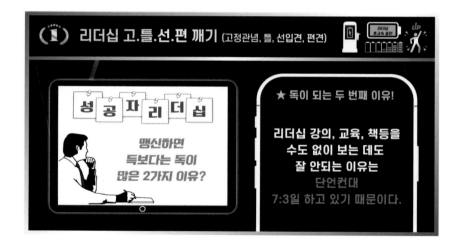

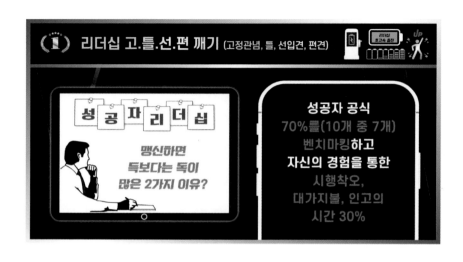

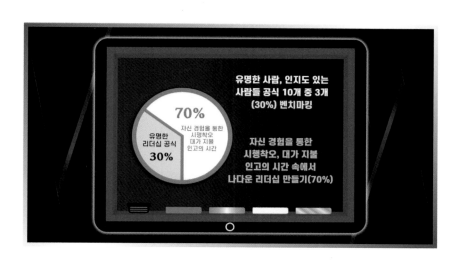

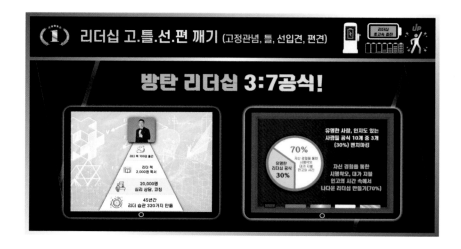

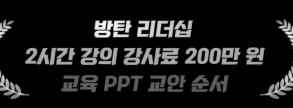

방탄 리더십
2시간 강의 강사료 200만 원
교육 PPT 교안 순서

★ ★ ★ ★ ★

방탄 리더십

방탄 리더 1명이
10만 명을 변화 시킨다!

① 방탄 리더십 라포 형성 기법, 마음을 여는 기법
② 방탄 리더십 고.틀.선.편 깨기
③ 방탄 리더십 서론
④ SPOT 기법, 강의 집중 기법, 강의 환기 기법
⑤ 방탄 리더십 본론
⑥ SPOT 기법, 강의 집중 기법, 강의 환기 기법
⑦ 방탄 리더십 결론
⑧ SPOT 기법, 강의 집중 기법, 강의 환기 기법
⑨ 방탄 리더십 총정리
⑩ 방탄 리더십 피크앤드법칙(The Peak End Rule)

③ 방탄 리더십 서론
- 방탄 리더십 교육 PPT 목차 1
[출간 한 《나다운 방탄 리더십》책 내용]

★ 방탄리더십은 노오력 아닌 올바른 노력!

20,000명 심리 상담, 코칭! 리더 자기계발서 39권 출간!
리더 습관 320가지 만들면서 알게 된 방탄리더십의 비
밀! 올바른 노력을 하기 위한 방탄리더십 3:7공식 공개
한다.

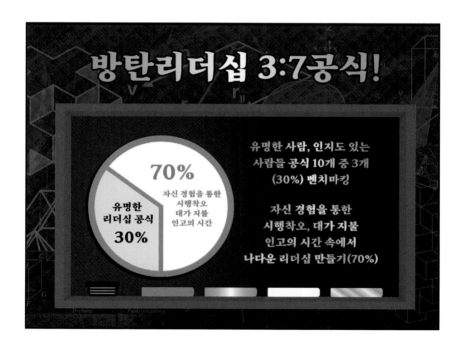

방탄리더십 창시자!

리더 책 39권 출간

리더 책
2,000권 독서

20,000명
심리 상담, 코칭

45년간
리더 습관 320가지 만듦

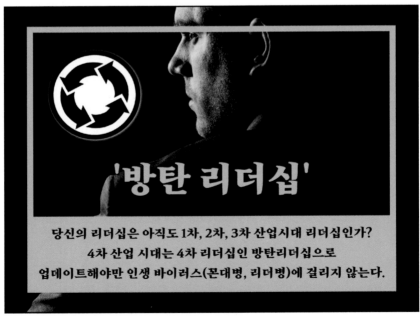

'방탄 리더십'

당신의 리더십은 아직도 1차, 2차, 3차 산업시대 리더십인가?
4차 산업 시대는 4차 리더십인 방탄리더십으로
업데이트해야만 인생 바이러스(꼰대병, 리더병)에 걸리지 않는다.

지금 시대는 위치가 사람을 만드는 것이 아니라 위치가 사람을 망치는 사람들이 많아지고 있으며 하루에도 수도 없이 리더십에 연관된 영상, 글, 책, 사진들 3혹을 시킨다. 지금 시대는 노력이 배신하는 시대에 살고 있다. 노력이 배신하는 시대에 필요한 리더십이 무엇일까?

노력이 다 배신하는 것이 아니다.
자연의 이치인 인간이 하는 모든 것은 시행착오, 대가지불, 인고의 시간이라는 노력이 들어가야만 결과를 얻을 수 있다. 하지만 지금 시대는 4차 산업 시대이다. 한마디로 1차, 2차, 3차 산업 시대의 노력이 아닌 4차 노력인 올바른 노력을 해야만 노력이 배신하지 않는다.
당신은 아직도 3차 리더십인가? 그렇다면 4차 리더십인 방탄리더십으로 업데이트하라!

지금 리더십 환경이 어떤지 아는가?
하루에도 리더십에 연관된 영상, 글, 책, 사진들 수도 없이 엄청나게 많이 보는데 10년 전보다 스마트폰 없는 시대보다 1,000배는 더 좋은 환경인데도 스마트폰이 없던 시대 10년 전보다 리더십을 더 못하는 현실이다.
10년 전 스마트폰이 없던 시대보다 리더십이 더 못하는 이유가 뭘까?
단언컨대 리더십의 본질을 모르고 하기 때문이다.

다음은 외적인 것보다 내적인 것이 중요함을 깨닫게 하는 스토리텔링이다.

겉은 화려한데 왠지 모를 허무함을 느낀다면?
꽃이 자꾸 시든다. 꽃잎에 물도 뿌려보고, 줄기도 정성스레 닦아준다. 그래도 꽃은 시든 채로 있다. 그래서 꽃을 바꾼다. 하지만 얼마 안 가 또다시 꽃이 시들고, 전과 같은 과정을 반복하며, 꽃을 열심히 살려보려 노력하지만, 또 실패한다. 화가 나서 화분을 바닥에 내리친다. 그리고선 깨닫는다. 뿌리가 썩어있었다는 것을 눈에 보이는 현상이 아니라, 눈에 보이지 않은 본질이 썩어 있다면, 처음엔 화려할 수 있으나, 시간이 지날수록 시들어 버린다는 것을 마침내 깨닫는다. 당신은 꽃잎을 가꾸고 있는가? 뿌리를 가꾸고 있는가?
눈에 보이는 현상에 집중하느라 본질이 흐려지는 것은 아닌가?

<facebook.com/ggumtalk>

가장 중요한 뿌리(리더 자존감, 리더 멘탈, 리더 습관, 리더 행복)를 학습, 연습, 훈련하지 않으면 리더 삼성(진정성, 전문성, 신뢰성)을 올릴 수 없고 꽃, 열매(결과)는 얻을 수 없으며 결과가 나오더라도 오래 지속되지 않는 인스턴트 결과가 나온다.

꽃, 열매는(결과 리더십) 화려하고 보기 좋았는데 뿌리가(리더십 본질) 썩어 죽어가고 있다?

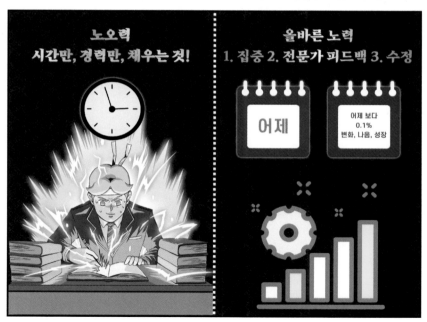

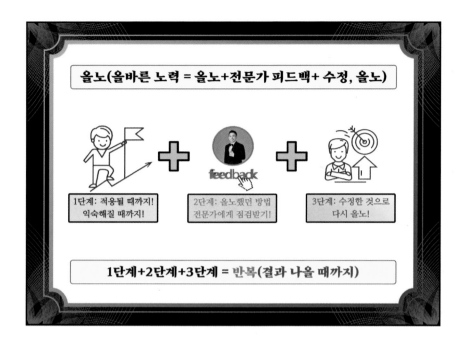

인간이 하는 모든 것의 본질을 알아야만 노오력이 아니라 올바른 노력을 할 수 있다. 노력은 경험만 채우고 시간만 때우는 노력이다. 지금 시대는 노력이 배신하는 시대다.

올바른 노력은 어제보다 0.1% 다르게, 변화, 나음, 성장하는 것이다.

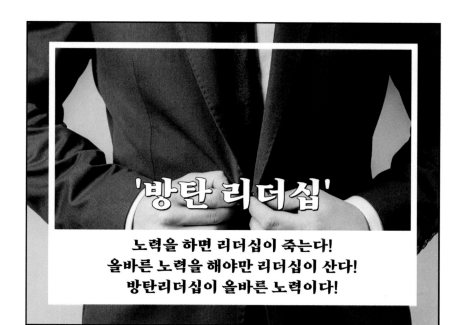

'방탄 리더십'

노력을 하면 리더십이 죽는다!
올바른 노력을 해야만 리더십이 산다!
방탄리더십이 올바른 노력이다!

인생의 본질

	헬스, 운동 본질
	직장, 일 본질
	연애, 사랑 본질
	인간관계 본질
	자기계발 본질
	리더십 본질

인생의 모든 본질은 정답이 없지만 기본(자존감, 멘탈, 습관, 행복, 자기계발)을 지키지 않으면 결과가 나오지 않는다.

운동의 본질은 헬스, 운동의 기본기를 배우지 않는 사람이 좋은 헬스장으로 옮긴다고 헬스, 운동 습관이 만들어지는 것이 아니다.
직장의 본질은 월급 날짜만 기다리는 사람이 직장을 바꾼다고 일에 대한 의욕이 생기지 않는다.
사랑의 본질은 평상시에 사랑받을 행동을 안 하는 사람은 사랑하는 사람이 생겨도 사랑받을 수가 없다.
인간관계의 본질은 내가 좋은 사람이 되기 위해 학습, 연습, 훈련을 안 하면 좋은 사람이 생겨도 금방 떠나간다.
자기계발 본질은 "어제 보다 0.1% 나은 사람이 되자."라는 태도로 꾸준히 안 하면 시간, 돈 낭비를 한다.

리더십의 본질은 경력, 나이를 내세우면서 시대에 맞는 리더십으로 업데이트하지 않으면 리더십이 아닌 꼰대십이 나온다. 리더십의 본질은 리더 자존감, 리더 멘탈, 리더 습관, 리더 행복, 리더 자기계발에서 시작한다.

20,000명 심리 상담, 코칭으로 알게 된
사람들이 바라는 6가지 시스템!
1
커피숍에서 지인과 대화 중에도 돈이 입금되는 시스템?
2
자고 있는데 돈을 버는 시스템?
3
여행 중에도 돈이 입금되는 시스템?
4
사무실, 직원이 필요 없는 시스템?
5
건물주처럼 월세가 입금되는 시스템?
6
집에서 댕댕이와 휴식하고 있는데 돈이 입금되는 시스템?
출판계의 혁신!
돈이 들어오는 6가지 시스템을
가능하게 하는 것이
방탄book기술력!

- 방탄 리더십 교육 PPT 목차 1
· [출간 한 《나다운 방탄 리더십》 책 내용을 방탄 리더십 교육 PPT로 디자인]

▶ 스토리텔링 전체 내용!

생쥐가 한 마리가 있었다. 생쥐는 늘 고양이를 무서워하며 살았다. 마법사에게 찾아가 고양이의 천적인 개로 만들어 달라고 했다. 레드썬! 개의 모습이 되어 고양이 앞에 갔는데 또 무서움이 사라지지 않았다.

마법사에게 찾아가 호랑이로 만들어 달라고 했다. 레드썬! 호랑이의 모습이 되어 고양이 앞에 갔는데 또 무서움이 사라지지 않았다.

마법사에게 찾아가서 사람으로 만들어 달라고 했다. 레드썬! 사람의 모습이 되어 고양이 앞에 갔는데 또 무서움이 사라지지 않았다.

결국 생쥐를 도와줬던 마법사가 사람이 된 생쥐를 다시 본래의 생쥐를 만들어 주면서 이렇게 말했다.

"너의 모습이 아무리 좋게 바뀌어도 생쥐의 가슴을 가지고 있는 한 그때뿐이다".

《마음을 밝혀주는 소금 1》 내용 각색

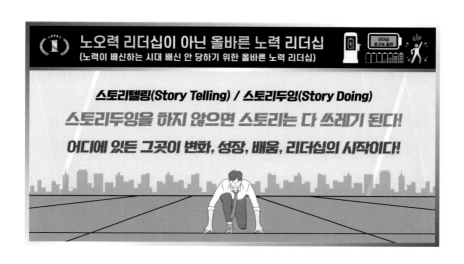

노오력 리더십이 아닌 올바른 노력 리더십
(노력이 배신하는 시대 배신 안 당하기 위한 올바른 노력 리더십)

스토리텔링(Story Telling) / 스토리두잉(Story Doing)
스토리두잉을 하지 않으면 스토리는 다 쓰레기 된다!
어디에 있든 그곳이 변화, 성장, 배움, 리더십의 시작이다!

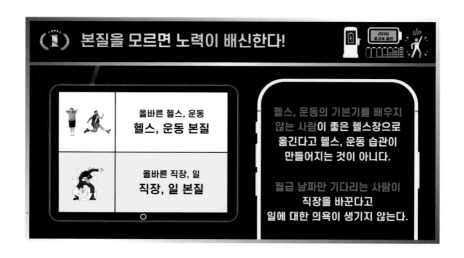

본질을 모르면 노력이 배신한다!

올바른 헬스, 운동
헬스, 운동 본질

올바른 직장, 일
직장, 일 본질

헬스, 운동의 기본기를 배우지
않는 사람이 좋은 헬스장으로
옮긴다고 헬스, 운동 습관이
만들어지는 것이 아니다.

월급 날짜만 기다리는 사람이
직장을 바꾼다고
일에 대한 의욕이 생기지 않는다.

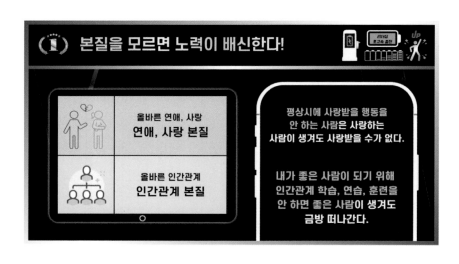

본질을 모르면 노력이 배신한다!

	올바른 연애, 사랑 **연애, 사랑 본질**
	올바른 인간관계 **인간관계 본질**

평상시에 사랑받을 행동을
안 하는 사람은 사랑하는
사람이 생겨도 사랑받을 수가 없다.

내가 좋은 사람이 되기 위해
인간관계 학습, 연습, 훈련을
안 하면 좋은 사람이 생겨도
금방 떠나간다.

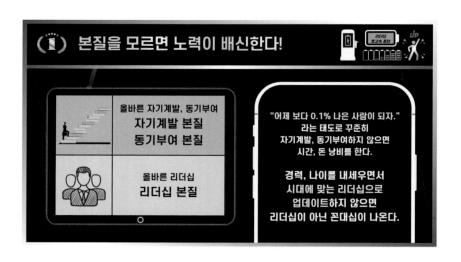

본질을 모르면 노력이 배신한다!

	올바른 자기계발, 동기부여 **자기계발 본질** **동기부여 본질**
	올바른 리더십 **리더십 본질**

"어제 보다 0.1% 나은 사람이 되자."
라는 태도로 꾸준히
자기계발, 동기부여하지 않으면
시간, 돈 낭비를 한다.

경력, 나이를 내세우면서
시대에 맞는 리더십으로
업데이트하지 않으면
리더십이 아닌 꼰대십이 나온다.

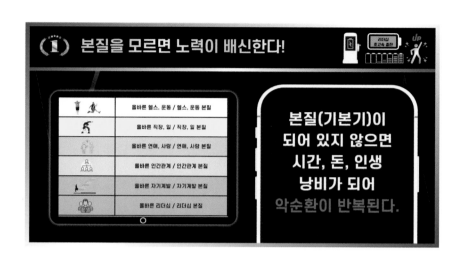

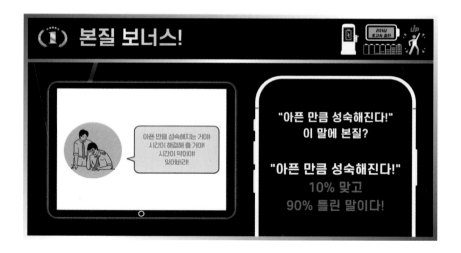

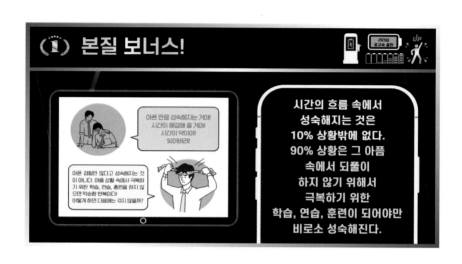

시간의 흐름 속에서
성숙해지는 것은
10% 상황밖에 없다.
90% 상황은 그 아픔
속에서 되풀이
하지 않기 위해서
극복하기 위한
학습, 연습, 훈련이 되어야만
비로소 성숙해진다.

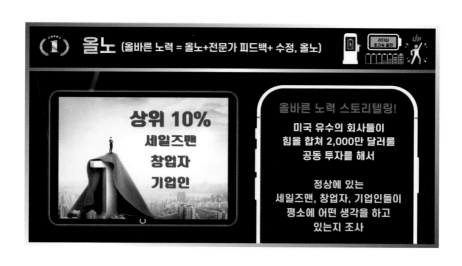

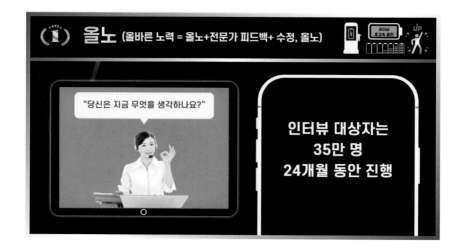

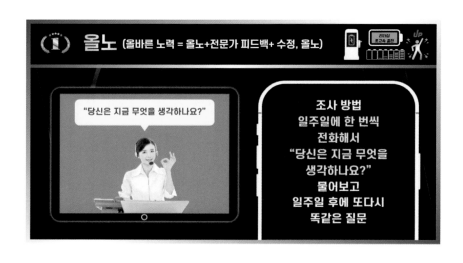

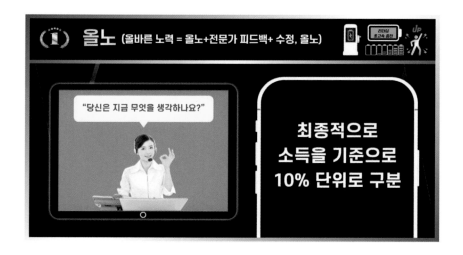

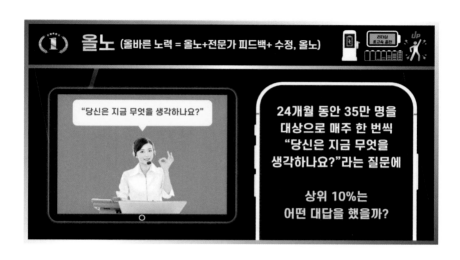

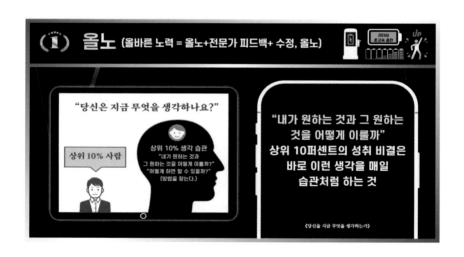

▶ 스토리텔링 전체 내용!

당신은 지금 어떤 생각을 하고 무엇을 이룰 것인가?
미국 유수의 회사들이 힘을 합쳐 2,000만 달러를 투자,
정상에 있는 세일즈맨, 창업자, 기업인들이 평소에 어떤
생각을 하고 있는지 조사한 적이 있다.

인터뷰 대상자는 무려 35만 명이었고, 조사는 24개월
동안 진행되었다. 조사 방법은 간단했다. 일주일에 한
번씩 전화해서 "당신은 지금 무엇을 생각하나요?" 를
물어보고, 일주일 후에 또다시 똑같은 질문을 하는 것이
다. 시간이 흐르고 데이터가 쌓이면서 차츰 인터뷰 대상

자들의 프로파일이 잡혀갔다. 최종적으로 소득을 기준으로 10퍼센트 단위로 구분해 보았다.

24개월 동안 35만 명을 대상으로 매주 한 번씩 "당신은 지금 무엇을 생각하나요?"라는 질문에 상위 10퍼센트는 어떤 대답을 했을까? 그들의 대답은 다름 아닌 "내가 원하는 것과 그 원하는 것을 어떻게 이룰까"였다.

대부분의 시간을 '내가 원하는 것과 그것을 어떻게 이룰까'를 생각하는 것! 상위 10퍼센트의 성취 비결은 바로 이런 생각을 매일 습관처럼 하는 것이었다.

《당신을 지금 무엇을 생각하는가》

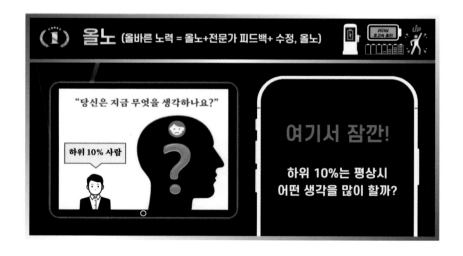

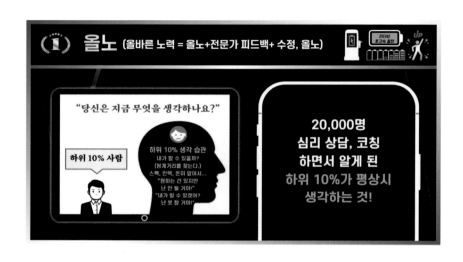

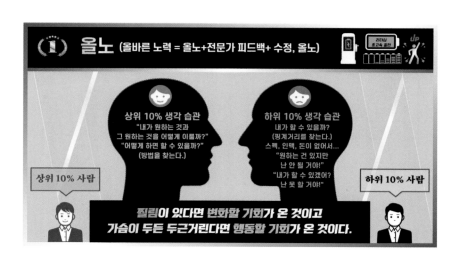

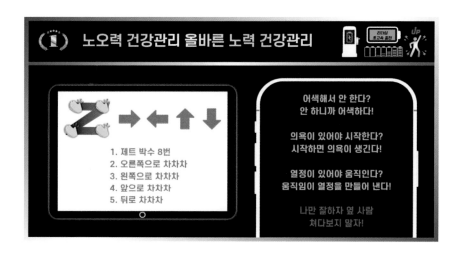

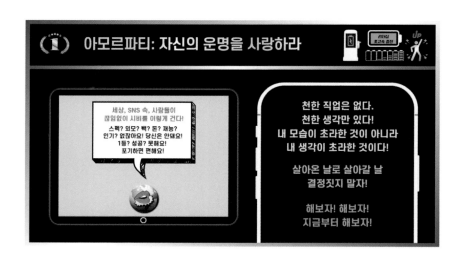

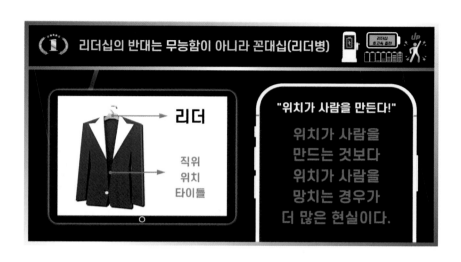

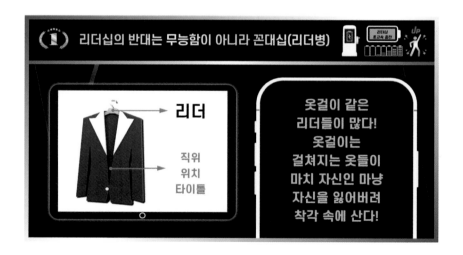

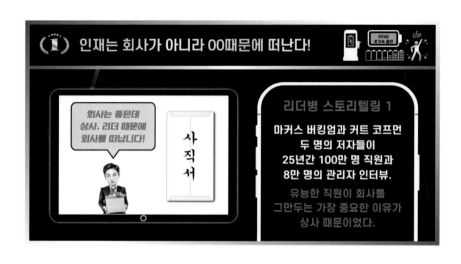

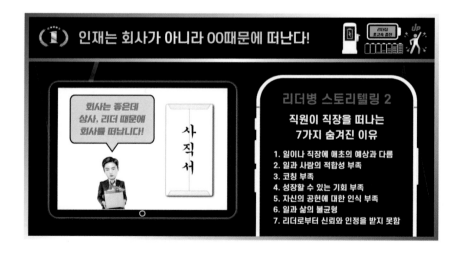

▶ 스토리텔링 전체 내용!

그들은 회사가 아니라 리더를 떠난다. 평생직장이라는 개념이 사라지고 있다.

어느 신문 조사에 의하면 직장에 다니는 사람들 중 무려 50%가 이직 이란 단어를 염두에 두고 있다고 한다. 그리고 연봉을 얼마나 올려주면 이직하겠느냐는 질문에는 평균 430만 원을 적었다고 한다. 왜 절반에 가까운 직장인들이 한 달에 35만 원만 더 주면 기꺼이 자신이 몸담았던 회사를 떠날 수 있다고 대답했을까?

더 높은 연봉? 더 좋은 커리어? 아니면 비전을 찾아서? 이와 관련해 두 권의 흥미로운 책을 소개할까 한다.

첫 번째는 마커스 버킹엄과 그의 동료 커트 코프먼이 쓴 (유능한 관리자)라는 책이다.

이 책은 미국에서 150만 부 넘게 팔린 베스트셀러로, 저자들은 뛰어난 직원들은 직장에서 무엇을 원하는가? 라는 질문에 대한 해답을 찾기 위해 25년 100만 명이 넘는 직원과 8만여 명의 관리자들을 인터뷰했다.

저자들이 내린 결론 중 하나는 불행히도 유능한 직원이 회사를 그만두는 가장 중요한 이유는 상사 때문이라는 것이다. 다시 말하면 직원들은 회사를 떠나는 것이 아니라 함께 일하던 상사를 떠난다.

116

당신도 잠시 생각해 보자. 직장 생활을 적어도 10년쯤 한 분들이라면 치밀어 오르는 화를 못 참고 진짜 때려 치우든지 해야지라는 생각을 몇 번쯤은 했을 것이다. 왜 그때 그런 생각을 했는지 생각해 보면, 아마 십중팔구 그 인간 때문이었을 게 분명하다.

비슷한 내용의 또 다른 책으로(직원이 직장을 떠나는 7가지 숨겨진 이유)가 있다. 저자는 이 책에서 정작 더 높은 연봉이나 더 좋은 기회 때문에 회사를 떠나는 이들은 많지 않다고 주장한다. 이 두 가지는 이직하는 사람들이 내세우는 단순한 이유일 뿐, 정말 떠나야겠다고 결심하는 이유는 따로 있다는 것이다. 바로 이런 것들이다.

1. 일이나 직장에 애초의 예상과 다름

2. 일과 사람의 적합성 부족

3. 코칭 부족

4. 성장할 수 있는 기회 부족

5. 자신의 공헌에 대한 인식 부족

6. 일과 삶의 불균형

7. 리더로부터 신뢰와 인정을 받지 못함

위에 열거한 내용 또한 대부분이 그 인간 혹은 그 인간의 못난 리더십 때문이란 사실을 금방 눈치챌 수 있을 것이다.

결국 두 책의 내용을 종합하면 직장인들이 회사를 떠나

는 가장 큰 이유는 같이 일하는 상사 때문이라는 결론을 내릴 수밖에 없다.

다시 말해 상사의 리더십 때문이다.

잠시 생각해 보자. 내 직원이나 후배들에게 나는 어떤 상사 혹은 선배일까? "회사는 그저 그렇지만 저분 때문에 내가 여기에 있는다."라는 생각을 만드는 존재일까? 아니면 "회사는 좋지만 저 인간 때문에 언젠가는 그만둔다."라고 생각하게 만드는 존재일까?

《사람을 남겨라》

미국의 심리학자 미셸 맥퀘이드가 미국의 직장인 1,000명을 대상으로 조사한 연구 결과, 65%의 직장인이 '연봉 인상'보다도 자신의 '상사 해고'를 원한다고 했다. 상사가 잘리면 직원들의 회사 만족도가 올라간다는 말이다. 실제로 원치 않는 상사 밑에서 일하면 소화불량, 두통, 가슴 두근거림, 우울증 같은 질병이 생기기 쉽다고 한다. 직원 입장에서는 원치 않는 상사와 일하게 되면 경력도 망가지고 심지어 건강도 나빠지는 셈이다. 전생의 원수는 회사에서 만난다는 말이 사실이라면 이런 경우가 아닐까?

《부하직원이 말하지 않는 31가지 진실》

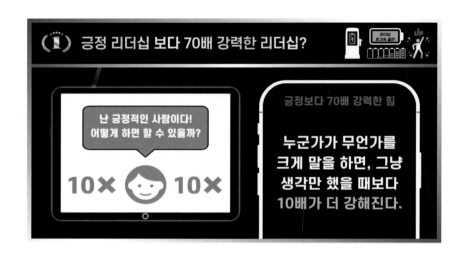

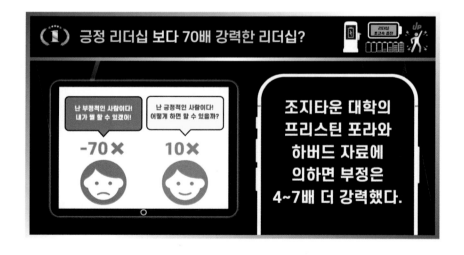

긍정보다 70배 강력한 힘

누군가가 무언가를 크게 말을 하면, 그냥 생각만 했을 때보다 10배가 더 강해집니다. 조지타운 대학의 프리스틴 포라와 하버드 자료에 의하면 부정은 4~7배 더 강력했습니다. 무언가를 크게 말하면 10배이고, 그게 부정이면 곱하기 4배에서 7배 강해요. 그러면 제가 부정적인 것을 크게 말하면 40~70배 더 일어날 확률이 크거나 나에게 나쁜 것을 초래할 겁니다.

첫 번째, 당신의 말은 강력합니다.

두 번째, 행동이 성공을 아주 보장합니다.

많은 사람들은 감정이 행동을 좌지우지하게 둡니다. 행동을 주체에 놓고 말이죠. 행동이 바로 당신을 바꾸는 겁니다. 동시에 스스로에게 물어봐야죠. "나는 뭘 원하는지?"그리고 "왜 가지고 있지 않은지?" 어퍼메이션이 중요해요? (어퍼메이션: 인생을 바꾸는 긍정적인 질문) 당연히 중요해요. 내면부터 바꾸는 게 중요해요? 당연하죠. 하지만 그건 시작점이 아니에요.

"머저리 같은 것 좀 입 밖에 내뱉지 말고" 내가 과거를 어떻게 느끼는지가 아닌 " 내가 지금 무엇을 하느냐가" 미래의 내가 누가 될지 결정합니다.

<유튜브 성공 비밀> 트레버 모아와드

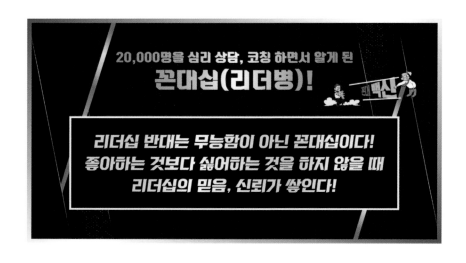

20,000명을 심리 상담, 코칭 하면서 알게 된
꼰대십(리더병)!

- 직원 1명보다 고객 10명, 거래처 10곳이 더 소중하다?
- 본인도 못 했으면서 주제 파악을 못 한다고 훈계만 한다.
- 리더값, 나잇값을 못 한다.
- "나 때는 말이야" (영화 <신세계>, 최민식 버전)
- 언행일치가 99% 안 된다.
- 꼰대가 뭔지 모른다.
- 본인도 하지 않으면서 하길 바란다.
- 격려, 위로, 배려, 존중이 없다.
- 지는 법이 없다. 고집이 세다.
- 자신 방식이 무조건 답이라는 식으로 무조건 따르라고 한다.

20,000명을 심리 상담, 코칭 하면서 알게 된
꼰대십(리더병)!

- 남자, 여자 성별을 따지며 사람을 차별한다.
- 여자, 남자를 밝히고 성희롱적인 말을 물먹듯이 한다.
- 리더가 직원들 눈을 의식하지 않는다.
- 직원들을 월급 충 그 이상으로 생각하지 않는다.
- 월급에 다 포함되어 있으니 '까라면 까라'는 식으로 강요한다.
- 본인도 하던 방법으로만 하면서 새로운 시도를 하길 바란다.
- 속이 좁다, 밴댕이 소갈딱지다.
- 콤플렉스, 열등감, 자격지심, 상처, 트라우마에 민감하다.
- 눈빛을 보내는 게 아닌 눈총을 준다.
- 리더가 해야 할 일과 내려놓아야 할 일 조절을 못 한다.

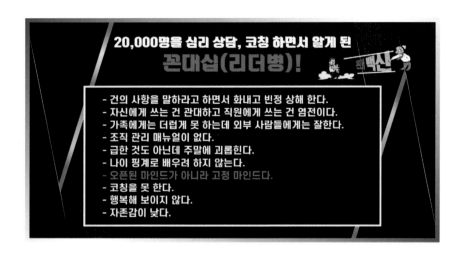

20,000명을 심리 상담, 코칭 하면서 알게 된
꼰대십(리더병)!

- 목표, 비전을 공유하지 않는다.
- 비전이 없다.
- 허파에 바람이 많다.
- 메타인지가 약하다.
- 게으르다.
- 표정이 어둡다.
- 웃질 않는다.
- 권위 의식이 흘러내린다.
- 비비불이 많다. (비난, 비판, 불평)
- 절제, 자제를 못 한다.

20,000명을 심리 상담, 코칭 하면서 알게 된
꼰대십(리더병)!

- 시기, 질투가 심하다.
- 지식이 없어서 무식함이 말에서 나온다.
- 술, 담배, 몸에 무리가 가는 행동들을 자주 하며 건강관리도 하지 않는다.
- 꼰대십, 술을 강요한다.
- 잔소리가 심하다.
- 화를 조절 못 한다.
- 나이 어린 사람을 무시한다.
- 세상, 현실 탓을 잘한다
- 부정적이다.

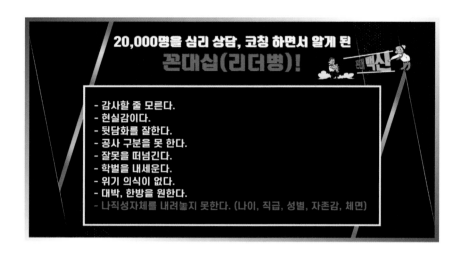

20,000명을 심리 상담, 코칭 하면서 알게 된
꼰대십(리더병)!

- 감사할 줄 모른다.
- 현실감이다.
- 뒷담화를 잘한다.
- 공사 구분을 못 한다.
- 잘못을 떠넘긴다.
- 학벌을 내세운다.
- 위기 의식이 없다.
- 대박, 한방을 원한다.
- 나직성자체를 내려놓지 못한다. (나이, 직급, 성별, 자존감, 체면)

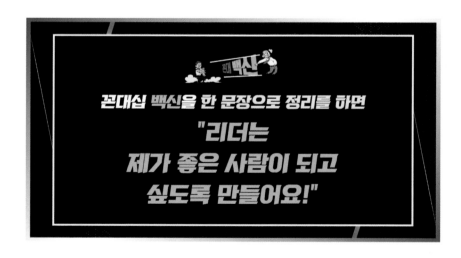

꼰대십 백신을 한 문장으로 정리를 하면
"리더는
제가 좋은 사람이 되고
싶도록 만들어요!"

꼰대십은 죽지 않는다. 다만 회사가 망할 뿐이다!

20,000명 심리 상담, 코칭 하면서 알게 된 것은
꼰대들도 처음부터는 꼰대가 아니었다!
"나는 저런 꼰대가 되지 않아야지!" 말만 하고
꼰대가 되지 않기 위한 학습, 연습, 훈련을 하지 않아서
꼰대로 진화하는지도 모르게 진화한다!

리더십 보다 중요한 것이 꼰대십(리더병) 절제다!

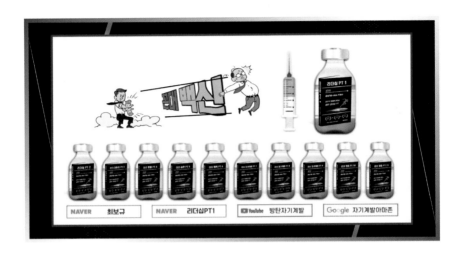

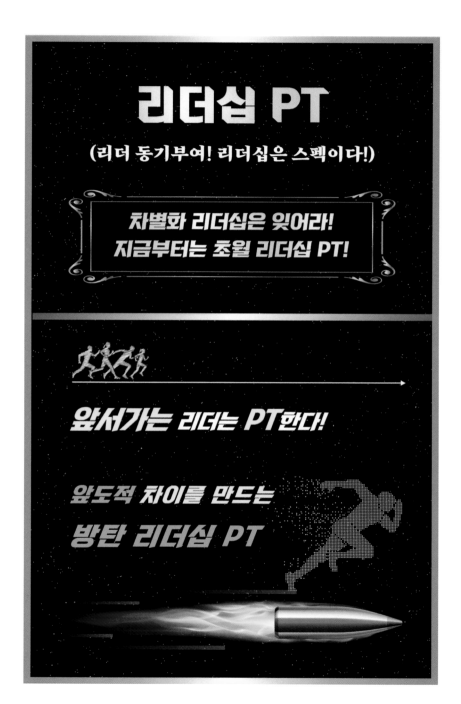

리더십 PT

(리더 동기부여! 리더십은 스펙이다!)

> 차별화 리더십은 잊어라!
> 지금부터는 초월 리더십 PT!

앞서가는 리더는 PT한다!

앞도적 차이를 만드는
방탄 리더십 PT

집중호우   태풍

지진   화산

NAVER 천재지변

천재지변은 사람이
막을 수 없기에 평상시
준비, 대비, 예방으로 인해
피해를 최소한으로
줄이는 방법뿐이다.

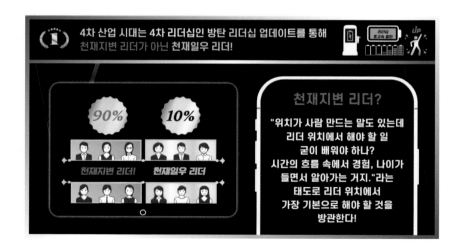

90%   **10%**

천재지변 리더!   천재일우 리더

천재지변 리더?

"위치가 사람 만드는 말도 있는데
리더 위치에서 해야 할 일
굳이 배워야 하나?
시간의 흐름 속에서 경험, 나이가
들면서 알아가는 거지."라는
태도로 리더 위치에서
가장 기본으로 해야 할 것을
방관한다!

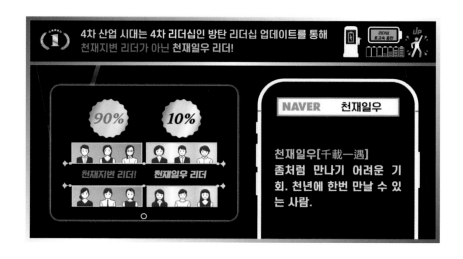

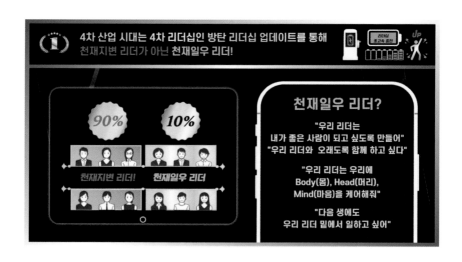

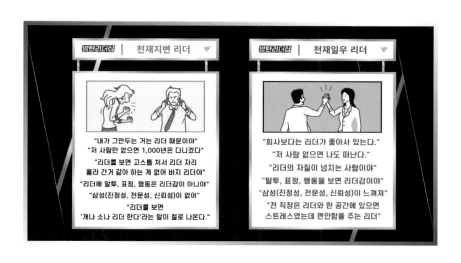

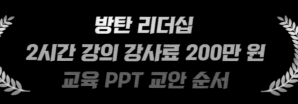

방탄 리더십
2시간 강의 강사료 200만 원
교육 PPT 교안 순서

① 방탄 리더십 라포 형성 기법, 마음을 여는 기법
② 방탄 리더십 고.틀.선.편 깨기
③ 방탄 리더십 서론
④ SPOT 기법, 강의 집중 기법, 강의 환기 기법
⑤ 방탄 리더십 본론
⑥ SPOT 기법, 강의 집중 기법, 강의 환기 기법
⑦ 방탄 리더십 결론
⑧ SPOT 기법, 강의 집중 기법, 강의 환기 기법
⑨ 방탄 리더십 총정리
⑩ 방탄 리더십 피크앤드법칙(The Peak End Rule)

138

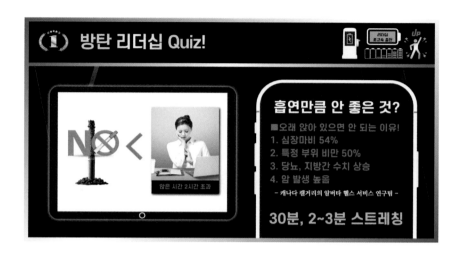

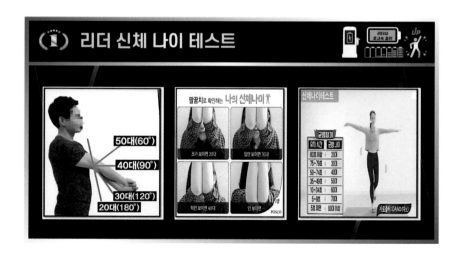

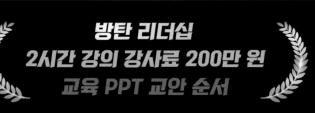

방탄 리더십
2시간 강의 강사료 200만 원
교육 PPT 교안 순서

★ ★ ★ ★ ★

방탄 리더십

방탄 리더 1명이
10만 명을 변화 시킨다!

① 방탄 리더십 라포 형성 기법, 마음을 여는 기법
② 방탄 리더십 고.틀.선.편 깨기
③ 방탄 리더십 서론
④ SPOT 기법, 강의 집중 기법, 강의 환기 기법
⑤ 방탄 리더십 본론
⑥ SPOT 기법, 강의 집중 기법, 강의 환기 기법
⑦ 방탄 리더십 결론
⑧ SPOT 기법, 강의 집중 기법, 강의 환기 기법
⑨ 방탄 리더십 총정리
⑩ 방탄 리더십 피크앤드법칙(The Peak End Rule)

⑤ 방탄 리더십 본론
- 방탄 리더십 교육 PPT 목차 2-1
· [출간 한 《나다운 방탄 리더십》 책 내용]
★ 운전도 방어운전이 중요하듯 인생길은 방탄자존감

운전 할 때 중요한 게 무엇일까? 방어운전이다. 인생도
길이라고 한다. 인생길에서 가장 중요한건 자존감이듯
리더의 길에서 중요한건 자존감이다.
고속도로에서 방어운전의 1순위가 10분의 휴식이다. 10
분의 휴식이 가족, 상대방 생명을 지키듯 리더에서는 방
탄 리더 자존감이 가족, 리더, 팀원, 조직체를 지킨다

방탄 리더 자존감 본질

리더 자존감 굳이 배워야 하나요?
그냥 살면 안 되나요?
나이 먹으면서
자연스럽게 배우는 거 아닌가요?

방탄 리더 자존감를
삼성(진정성, 전문성, 신뢰성)이 검증된
전문가에게 배워야 되는 이유 13가지!

 ## 리더 자존감 굳이 배워야 하나?

방탄 리더 자존감 동기부여 세트

1. 주위 사람 말에 흔들리지 않게 해줍니다.

2. 자신의 가능성, 자신감을 향상시켜 줍니다.

3. 스트레스 관리를 잘할 수 있게 해줍니다.

4. 자신을 진짜 사랑하는 방법을 알게 해줍니다.

5. 외로움, 우울함 관리를 더 잘할 수 있게 해줍니다.

6. 나 너가 아닌 우리라는 마음을 알게 해줍니다.

7. 자신도 필요한 존재 도움이 되는 사람이구나, 느끼게 해줍니다.

8. 부정적인 비교보다는 긍정적 비교를 더 하게 해줍니다.

9. 가진 것이 부족해서 생기는 불만보다는 감사를 더하게 해줍니다.

10. 자격 지심, 콤플렉스, 트라우마, 상처를 관리할 수 있게 해줍니다.

11. 삶의 의욕을 넘치게 해줍니다.

12. 자신의 가치를 찾게 해줍니다.

13. 불행, 고난, 역경 힘든 시기가 왔을 때 이겨낼 수 있게 해줍니다.

다음은 외적인 모습보다 내적인 자존감이 중요하다는 것을 깨닫게 해주는 스토리텔링이다.

생쥐가 한 마리가 있었다. 생쥐는 늘 고양이를 무서워하며 살았다. 마법사에게 찾아가 고양이의 천적인 개로 만들어 달라고 했다. 레드썬! 개의 모습이 되어 고양이 앞에 갔는데 또 무서움이 사라지지 않았다.
마법사에게 찾아가 호랑이로 만들어 달라고 했다. 레드썬! 호랑이의 모습이 되어 고양이 앞에 갔는데 또 무서움이 사라지지 않았다.
마법사에게 찾아가서 사람으로 만들어 달라고 했다. 레드썬! 사람의 모습이 되어 고양이 앞에 갔는데 또 무서움이 사라지지 않았다.

결국 생쥐를 도와줬던 마법사가 사람이 된 생쥐를 다시 본래의 생쥐를 만들어 주면서 이렇게 말했다.

"너의 모습이 아무리 좋게 바뀌어도 생쥐의 가슴을 가지고 있는 한 그때뿐이다".
《마음을 밝혀주는 소금 1》 내용 각색

생쥐의 가슴, 심장은 낮은 자존감이다. 리더가 바뀌지 않고 기존의 가지고 있는 자존감을 시대에 맞게 바뀌지 않으면 늘 그때뿐이고 악순환이 계속된다.

단순히 말을 하면 자존감 낮은 리더가 명품으로 포장하고 명품 차를 타고 외적으로 아무리 꾸미더라도 자존감이 낮다면 늘 그때뿐이다.

자존감이 낮으면 생쥐의 심장이 호랑이의 심장으로 바뀌지 않는다. 자존감이 높아야만 생쥐의 심장이 호랑이의 심장으로 체인지 된다.

언제까지 생쥐의 심장, 생쥐의 자존감으로 살 것인가?

방탄 리더 자존감 학습, 연습, 훈련으로 리더 생쥐의 심장을 호랑이의 심장, 호랑이의 자존감으로 바꿀 수 있다.

- 방탄 리더십 교안 PPT목차 2-1

· [출간 한 《나다운 방탄 리더십》책 내용을 방탄 리더십 교육 PPT로 디자인]

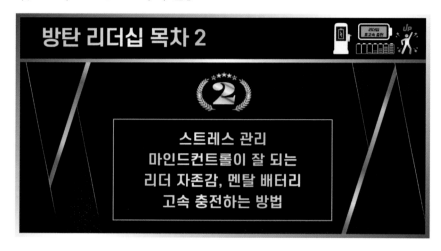

② 방탄 자존감, 방탄 멘탈을 배워야 되는 이유 13가지!

20,000명 심리 상담, 코칭 하면서 알게 된 자존감, 멘탈!

1. 주위 사람 말에 흔들리지 않게 해준다.
2. 자신의 가능성, 자신감을 향상시켜 해준다.
3. 스트레스 관리를 잘할 수 있게 해준다.
4. 자신을 진짜 사랑하는 방법을 알게 해준다.
5. 외로움, 우울함 관리를 더 잘할 수 있게 해준다.
6. 나 너가 아닌 우리라는 마음을 알게 해준다.
7. 자신도 필요한 존재 도움이 되는 사람이구나. 느끼게 해준다.
8. 부정적인 비교보다는 긍정적 비교를 더 하게 해준다.
9. 가진 것이 부족해서 생기는 불만보다는 감사를 더하게 해준다.
10. 자격 지심, 콤플렉스, 트라우마, 상처를 관리할 수 있게 해준다.
11. 삶의 의욕을 넘치게 해준다.
12. 자신의 가치를 찾게 해준다.
13. 불행, 고난, 역경 힘든 시기가 왔을 때 이겨낼 수 있게 해준다.

20,000명 심리 상담, 코칭 하면서 알게 된 자존감, 멘탈!

1. 주위 사람 말에 흔들리지 않게 해준다.
2. 자신의 가능성, 자신감을 향상시켜 해준다.
3. 스트레스 관리를 잘할 수 있게 해준다.
4. 자신을 진짜 사랑하는 방법을 알게 해준다.
5. 외로움, 우울함 관리를 더 잘할 수 있게 해준다.
6. 나 너가 아닌 우리라는 마음을 알게 해준다.
7. 자신도 필요한 존재 도움이 되는 사람이구나. 느끼게 해준다.
8. 부정적인 비교보다는 긍정적 비교를 더 하게 해준다.
9. 가진 것이 부족해서 생기는 불만보다는 감사를 더하게 해준다.
10. 자격 지심, 콤플렉스, 트라우마, 상처를 관리할 수 있게 해준다.
11. 삶의 의욕을 넘치게 해준다.
12. 자신의 가치를 찾게 해준다.
13. 불행, 고난, 역경 힘든 시기가 왔을 때 이겨낼 수 있게 해준다.

148

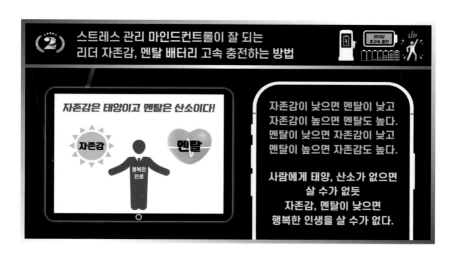

자존감은 태양이고 멘탈은 산소이다!

자존감이 낮으면 멘탈이 낮고
자존감이 높으면 멘탈도 높다.
멘탈이 낮으면 자존감이 낮고
멘탈이 높으면 자존감도 높다.

사람에게 태양, 산소가 없으면
살 수가 없듯
자존감, 멘탈이 낮으면
행복한 인생을 살 수가 없다.

커피
(인생)

MILK

커피 원두
(자존감)

첨가제
(멘탈)

자존감은 눈이고 멘탈은 입이다.
자존감은 태양이고 멘탈은 그림자다.
자존감은 커피 원두고 멘탈은 첨가제다.
자존감은 스마트폰 배터리이고
멘탈은 스마트폰 본체다.
자존감은 엄마고 멘탈은 아빠다.
자존감은 부모이고 멘탈은 자녀이다!
자존감은 여자고 멘탈은 남자다.
자존감은 오전이고 멘탈은 오후다.
자존감은 연료이고 멘탈은 자동차다.
자존감은 태양이고 멘탈은 달이다.
자존감은 물이고 멘탈은 불이다.

149

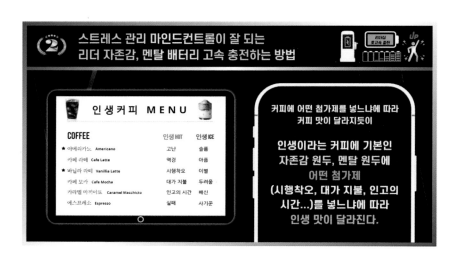

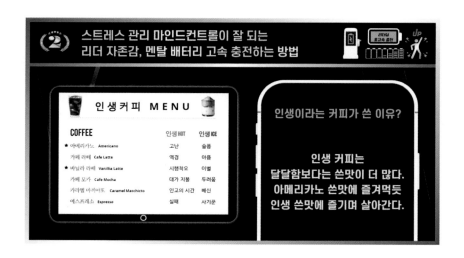

세상에서 가장 맛있는 아메리카노!!

핸드드립 세트 할인! (드립 서버, 드리퍼, 드립포트, 여과지, 그라인더)

리더십 핸드드립 세트 할인!

1. 리더십 드립 서버 2. 리더십 드리퍼
3. 리더십 드립포트 4. 리더십 여과지 5. 리더십 그라인더

방탄리더십은
기성품이 아니간
수제품이다.
나다운 리더십

② 스트레스 관리 마인드컨트롤이 잘 되는
리더 자존감, 멘탈 배터리 고속 충전하는 방법

자존감

멘탈

방탄
리더십

자존감, 멘탈이 낮다고
리더십이 안 나오는 건 아니다.

단언컨대
리더십이 잘 나오는 사람들은
자존감, 멘탈이 높다.

21세기 인간관계, SNS 시대 인간관계 1:2:7법칙을 알아
야 한다. 내가 아무리 좋은 걸 해도 내가 아무리 선행을
하더라도 10%만 좋아하는 사람이 생기고 싫어하는 사
람이 20%가 생기며 무시하고 관심 없는 사람들이 70%
가 생긴다. 어떤 것을 하더라도 안티가 생기고 안 좋게
바라보고 악성 댓글이 생기는 것은 당연한 거다.
악성 댓글 쓰는 사람이 문제가 있는 건 맞다. 하지만 자연의 이치처럼 인간관계 "1:2:7법칙이구나! 그럴 수도 있겠구나! 그러려니 하자!" 이런 태도로 인간관계를 해야만 인간관계 속에서 스트레스, 멘붕(멘탈 붕괴), 자붕(자존감 붕괴)을 관리가 된다. 이런 태도, 멘탈이 일반 멘탈이 아닌 방탄 리더 멘탈이다.

방탄 리더 멘탈을 학습, 연습, 훈련으로 멘탈을 업데이트해야 한다. 세상, 현실 기준들, 주둥이 파이터들, 주위 사람들이 끊임없이 숨을 거두는 날까지 리더 멘탈을 흔들리게 한다. 니 주제에 되겠냐? 너 돈 없잖아? 내가 해봐서 아는데 너 그거 못해! 주위 사람들, 꼰대들 자신이 하려는 것에 찬물을 끼얹는 사람들, 고춧가루 뿌리는 사람들 그런 사람들로 인해서 자신이 하려고 하는 것을 시작할 때 자신감들이 다 사라지고 "진짜 안 될까? 포기해야 되나?"라는 감정의 족쇄가 된다. 시작할 때 그 마음가짐, 다짐들, 열정들 주위 사람들의 말로 인해서 자신감, 용기가 꺾이는 경우가 많다. 한 번쯤은 겪어 봤을 것이다. 20,000명 심리 상담, 코칭 하면서 알게 된 것은 일이 힘들어서 그만두는 사람보다 주위 사람들의 말로 인해서 멘탈이 깨져서 하던 일을 그만두는 사람이 더 많다. 사람들 말에 흔들리지 않는 방법, 극복하는 방법이 있다. 4가지 사람의 유형을 오픈한다. 집중!

154

자신의 자신감, 용기를 떨어뜨리는 그 사람들이 내가 하려고 하는 분야에 1. 박사 학위, 2. 연관된 책 5권 출간, 3. 주위 사람들에게 선한 영향력을 주는 사람 "아 저 사람은 내가 좋은 사람이 되고 싶어지도록 만들어" 이 말을 하게 만드는 사람인가, 4. 가족들에게 잘하는 사람인가. 이 4가지 중에 3가지 이상 해당되지 않는 사람의 말이라면 개무시해도 된다.

하고 있는 일, 내 분야에 검증된 전문가가 말하는 것이 아니기에 자존심이 상하고 멘탈 붕괴, 자존감 붕괴가 일어나면 안 된다. 주둥이 파이터들 그 사람 자체를 무시하는 게 아니다. 오해하지 말고 들었으면 한다.

그 사람이 말 할 자격이 있는가? 그 사람 수준을 점검을 해봐야 한다.

검증이 안 된 사람 말에 자신감이 떨어지고 멘탈 붕괴가 일어나고 자존감 붕괴가 일어난다면 쪽팔리는 것이다. 자존심이 상하는 것이다.

당연히 검증된 전문가가 말하는 것에 자존감, 자신감이 떨어진다면 당연한 거다.

검증된 전문가도 아닌 사람의 말에, 내가 잘 되면 배 아플 것 같은 질투 섞인 말에, 내가 잘 될까 봐서 빈정거리는 말에 자신의 소중한 감정 소모를 할 필요가 없는 것이다.

4차 산업 시대, AI 시대, 5G 시대 ~ 10G 시대, 메타버스 시대, 챗GPT 시대... 빛에 속도로 시대가 변하고 있다.

시대에 맞게 멘탈을 못 따라가고 있는 사람들이 90%다. 20,000명을 심리 상담, 코칭 하면서 알게 된 것은 사람들의 평균적인 멘탈 수준이 있다는 것이다.

1차 리더 멘탈을 가지고 있는 사람이 70%이다. 2차 리더 멘탈 20%, 3차 리더 멘탈 9%, 4차 리더 멘탈인 방탄 리더 멘탈을 가지고 있는 사람 1%다. 지금 현실은 카페인 우울증에 빠진 사람이 너무나도 많다.

카페인 우울증? SNS 속 쇼윈도 행복을 보면서 상대적 불행을 느끼고 상대적 빈곤감을 느끼면서 삶의 의욕을 상실하고 있다. (카페인: 카카오 스토리, 페이스북, 인스타그램)

다음은 스마트폰을 자주 볼수록 우울하게 만든다는 연구데이터를 기반한 설명이다.

하루에 2,600번 스마트폰을 만지고 3시간 동안이나 폰을 보며 깨어있는 동안 평균 10분마다 폰을 들여다본다. 3명 중 1명꼴로 한밤중에도 최소 한 번 이상 폰을 들여다보고 청소년들은 50%가 밤에도 폰을 만진다.

10대 청소년 1,500명을 대상으로 한 조사에서 70%나 SNS 때문에 자기 몸을 더 부정적으로 인식하게 됐다고 답했고, 20대는 50% 이상이 SNS로 인해 자신을 부정적으로 인식하게 됐다고 응답했다. 절반 이상이 SNS를 하면서 열등감과 비슷한 감정을 지속적으로 느끼고 있다는 것이다. 그중에서도 10대가 가장 심각했다.

<유튜브 사오TV>

지금 잘살고 있는데, 지금 가진 게 많은데, SNS로 인해서 끊임없이 비교한다. 부정의 비교, 상대적 불만, 상대적 불행, 상대적 비교로 인해 카페인 우울증이 심각하다.

그래서 대부분 사람들이 허우대만 멀쩡하다. 정신, 마음속 멘탈은 다 썩어 문드러지고 있다.

20,000명 심리 상담, 코칭 해보니 화분에 꽃이 활짝 피어 보기 좋았는데 이미 뿌리가 썩어서 죽어가고 있는 사람들이 90%였다.

보기에는 멀쩡한데 그 뿌리는 죽어가고 있다. 뿌리는 멘탈, 자존감이다. SNS 속에서 누군가에 자랑하는 것들만 보면서 자신의 멘탈, 자존감을 도둑맞는지도 모르고 계속 중독되어 가고 있다. 나무에 열매(결과)가 중요할까? 뿌리가 중요할까? 인생이 나무라면 행복한 리더의 인생 뿌리는 방탄 리더 멘탈이다.

방탄 멘탈의 뿌리를 깊이 내려야지만 고난, 역경, 불행의 태풍, 인간관계 속 미세 먼지, SNS 속 초미세 먼지를 잘 극복할 수 있다.

사람에게 산소가 없으면 살 수 없듯 방탄 리더 멘탈은 직업, 관계, 각 분야에서 산소와 같다.

- 방탄 리더십 교안 PPT 목차 2-2
· [출간 한 《나다운 방탄 리더십》책 내용을 방탄 리더십 교육 PPT로 디자인]

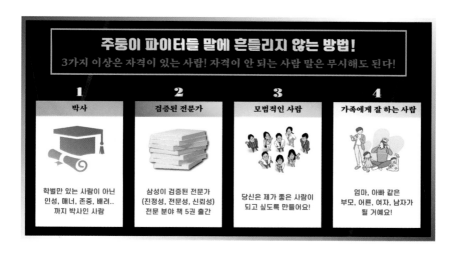

▶ 영상 전체 내용!

타이로페즈(5만원으로 600억을 만든 사람)
타이로페즈는 미국의 사업가이자 강연가로 유명합니다. 그는 한화 오만원의 재산을 수백억대로 불렸고 그의 TED톡 영상은 수백만명이 봤습니다. 그런 그가 그 자리게 오를 수 있었던 가장 큰 이유 두가지를 공유합니다.
멘토가 필요하냐구요?
책을 읽어야하냐구요?
겁나 많은 의견들이 있어서 뭘 믿어야 할지 모르겠죠? 제가 한마디 하죠. 누군가가 저에게 해준 말인데 사람은 거짓말을 하지만 숫자는 진실을 말한다. 헷갈리면 숫자를 보세요. 내말을 듣지 말고 남들 말도 듣지 말아보죠. 그냥 숫자를 검색해 봐요. 겁나 쉽습니다. Forbes 리스트를 보세요. 세상 가장 성공한 기업가들 리스트죠. 그 사람들이 멘토가 있었을까? 책을 읽었을까? 내가 읽어줄게요. 그럼! 오마이갓! 내가 존경하는 사람들인데 리스트에 몇 명을 말해볼게요.
빌게이츠 멘토 = 책, Ed 로버츠
오프라윈프리 멘토 = 책, 메리던킨
스티브잡스 멘토 = 책, 로버트 프리드랜드
워렌버핏 멘토 = 책, 벤저민그레이엄
마이클조던 멘토 = 책, 필잭슨

마크저커버그 멘토 = 책, 스티브잡스

리스트에 모두가 멘토가 있었어요. 누가 누구의 제자였는지요. 작년에 코비 브라이언트랑 같이 앉아서 경기를 봤는데 그와 라커룸에서 대화를 했어요. 비디오로도 찍었는데 내가 물어봤죠. "코비, 너 멘토 있었어?" 바로 답하더군요. "타이, 멘토가 가장 중요해." 코비는 많은 부류의 멘토가 있더군요. 마이클 잭슨도 코비에게 조언을 해줬대요. 디즈니의 CEO를 멘토로 만나는 등 각기 다른 멘토들요. 알버트 아인슈타인도 마찬가지에요. 인류 역사상 가장 위대한 천재도 멘토가 있었어요. 십대 때부터 매주 목요일 멘토의 가족들과 함께 점심을 먹었죠. 대화하며 수학과 물리학을 배웠어요. 당신이 누군지 모르겠지만 저는 아인슈타인보다 똑똑하지 않아요. 만약 그들이 멘토가 필요했다면 저는 더욱 필요하다고 느껴요. 역사를 돌아봐도 마찬가지에요. 위대한 정복자 알렉산더 대왕도 멘토가 있었어요. 15세때 그의 아버지가 위대한 철학자 아리스토텔레스를 고용해 아들과 같이 여행해달라고 부탁하죠. 아리스토텔레스는 그렇게 그를 가르쳤어요. 아리스토텔레스의 놀라운 사실은 그는 철학자 프라토의 멘티였어요. 플라토는 소크라테스를 멘토로 두었죠. 연결고리가 보이시나요? 스티브 잡스도 멘토를 두고 있었지만 결국 자신도 누군가의 멘토가 되었죠. 멘토는 조언만 해주는 사람이 아니라 동기부여도 해줍니다. 세계 최고의 기업들이 바로 이렇게 탄생했다구요. 학습의 방법은 단 두가지에요. 누군가에게 직접 배우던가 누군가가 쓴 책이나 영상으로 배우죠. 그게 다입니다. 한글, 수학 어떻게 배웠어요? 누워서 배워야지 생각만 하니까 배워졌어요? 누군가는 말하겠죠. "타이, 만약 멘토링과 책을 읽는데 행동을 안하면 어떻게 돼?"

당연히 행동도 해야죠. 지하방에 박혀서 책읽고 유튜브에 동기부여나 멘토 영상만 본다고 되겠어요? 하지만 한가지 더 열심히만 행동, 일하면서 똑똑하게 일하지 않으면 마찬가지로 얻는건 별로 없을겁니다.

예를 들어보면 누가 더 열심히 일할까요? 일용직 노동자와 스티브 잡스 혹은 일론머스크 중에서요. 물론 일용직 노동자는 꼭 필요해요. 그분들을 욕하는게 아닙니다. 하지만 성취한 수확물을 보면 열심히 보다 똑똑하게 일하는게 더 큽니다.

포브스 리스트를 봐요 최고 부자 리스트 아마존 창업자 제프베조스는 아이러니하게도 책관련 사업으로 시작했죠. 그는 책을 엄청 읽어요. 특히나 그의 샘월튼의 자서전은 거의 인생에 멘토가 되었고 얼마나 많이 읽었는지 페이지들이 다 낡았더군요. 제프는 세계 3위 부자에요. 나는 제프에게 상대가 안되죠. 그런데 그가 책과 멘토가 필요하면

나에겐 더 필요한 존재들이죠. 때로는 나도 일을 미뤄

요. 그리고는 읽는 책들 자서전들의 조언을 생각하죠. 혹은 직접 만나서 들은 조언들요.

일론머스크가 뭐라고 했는지 알아요? 제가 물었어요. "일론, 어떻게 스페이스 X를 창업했어?" "우주선 분야에는 경험도 없었잖아" "페이팔 경력밖에 없었을 텐데" 그가 대답하길 "책으로 다 배웠어." "수 많은 책을 읽었지."

이렇듯 책은 비대면 멘토에요. 사람이 아니니까요. 하지만 효과는 동일합니다. 그 책의 작가가 멘토가 되는거에요. 나는 알아. 모두가 스티브잡스가 되길 원하진 않겠죠. 아인슈타인처럼 될 필요는 없어요. 제가 하는 말은 그게 아니라 나는 뭘 배우더라도 큰 일을 해낸 사람에게 배우고 싶은 거에요. 당신이 정하세요. 누구에게 배우고 싶은 지를요. 저에 경우는 꼭대기에 있는 사람들이죠. 그리고 위대한 사람들은 항상 위대한 멘토를 가졌죠. 그리고 그들은 책을 읽어요. 마크 큐반이 제 집에서 해준 말이에요. 그는 샤크탱크라는 회사의 CEO이자 억만장자입니다. 제가 묻길 "마크, 너 책 많이 읽어?" 그는 "타이, 너 그거 알아?" "내가 LA공항에 지금 날 기다리는 전용기를 산 이유가 바빠서 못했던 독서를 누구의 방해도 받지 않고 더 하기 위해서야"

마크가 500억 짜리 전용기를 산 이유가 책을 더 읽기 위해서 라구요. 워렌버핏도 비행기에 타면 아무도 말을 못걸게 한 대요, 독서하려고 사람과 다르게 숫자는 거짓말을 안하다니까요. 열심히만 일하지 말고 똑똑하게 일하세요. 도구를 가지고 효율적으로 일하세요.

무엇이 빌케이츠를 16년 연속 세계 최고 부자로 만들었을까요? 그는 휴가를 독서하러 가고 그는 책이 주제인 블로그도 운영하죠. 그의 한마디가 정말 충격적이었는데 말하길 "나는 참 게을러요. 그래서 남들과 달리 머리를 써서 쉬운 방법을 찾죠. 그리고 가지고 싶은 슈퍼파워가 속독" 그가 시간을 쓰지 않는다는 게 아니에요. 시간은 무조건적으로 써지는 거죠. 하지만 시간을 쓰는게 목표가 아니라 적은 시간동안 많은 일을 끝내는거죠. 일은 반만 하는데 결과는 두배를 만드는 게 목표라는거에요.

그리고 그 방법은 단 한가지 머리는 써야하는 겁니다. 그게 당신을 위대하게 할거에요. 그러기 위해 위대한 멘토를 찾고 더 많이 읽는거죠. 내말 믿어요. 그리고 틀린지 시도해보세요. 못믿겠으면 직접 시도해보라니까요. 그리고 결과가 맘에 안들거나 도움 안되는거 같으면 그만두면 되죠. 각자 배우는 방식은 다를 수도 있느니까요. 하지만 열명 중 아홉의 위대한 사람들은 멘토가 있거나 책에서 멘토를 찾죠.

그러니까 믿져야 본전인거 확률을 믿고 해보세요. 멘토와 독서는 성공확률을 극대화시켜요. 이게 보증된건 아니죠. 왜냐하면 행동도 해야하니까요. 배운걸 써야 한다는 거에요. "그딴거 필요 없고, 내가 최고야?"라고 한다면 당신 겸손함에 문제가 있는거에요. 위인들이 필요한데 당신이 필요없다고? 아인슈타인도 멘토가 필요했고 뉴턴도 자기가 대단한 이유는 대단한 스승들이 있었기에 가능했다는데 음... 근데 당신이 멘토가 필요없다고? 말 안해도 미래의 통장잔고가 보이네요.

<유튜브 터닝포인트 - 위대한 성공의 시작점>

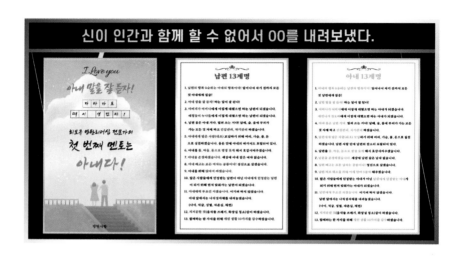

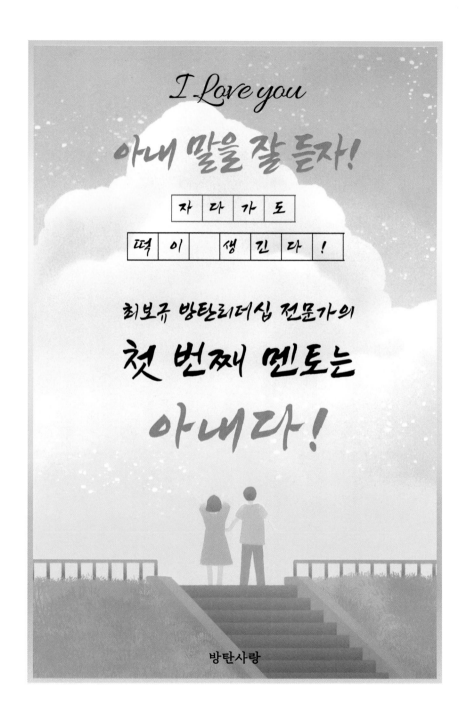

I Love you

아내 말을 잘 듣자!

자	다	가	도

떡	이		생	긴	다	!

최보규 방탄리더십 전문가의

첫 번째 멘토는

아내다!

방탄사랑

남편 13계명

1. 남편의 행복 0순위는 아내의 행복이다! 일어나서 자기 전까지 모든
   것 아내에게 집중!

2. 아내 말을 잘 듣자! 하는 일이 잘 된다!

3. 아버지가 어머니에게 이렇게 대했으면 하는 남편이 되겠습니다.
   매형들이 누나들에게 이렇게 대했으면 하는 남편이 되겠습니다.

4. 남편 몸은 아내 거다. 빌려 쓰는 거다! 담배, 술, 몸에 무리가
   가는 모든 것 자제 하고 건강관리, 자기관리 하겠습니다.

5. 아내에게 받은 사랑(내조) 보답하기 위해 머리, 가슴, 몸, 돈
   으로 실천하겠습니다. 용돈 안에 아내의 바가지도 포함되어 있다.

6. 아내를 몸, 마음, 돈으로 평생 웃게 해서 호강시켜주겠습니다.

7. 아내를 존경하겠습니다. 세상에 아내 같은 여자 없습니다.

8. 아내 빼고는 모든 여자는 공룡이다! 정신으로 살겠습니다.

9. 아내를 위해 앉아서 싸겠습니다.

10. 많은 사람들에게 인정받는 남편이 아닌 아내에게 인정받는 남편
    이 되기 위해 먼저 맞춰가는 남편이 되겠습니다.

11. 아내에게 무조건 지겠습니다. 이기려 하지 않겠습니다.
    아내 앞에서는 나직성자체를 내려놓겠습니다.
    (나이, 직급, 성별, 자존심, 체면)

12. 지저분한 것(음식물 쓰레기, 화장실 청소)같이 하겠습니다.

13. 함께하는 한 가지를 위해 개인 생활 10가지를 감수하겠습니다.

아내 13계명

1. 아내의 행복 0순위는 남편의 행복이다! 일어나서 자기 전까지 모든 것 남편에게 집중!

2. 남편 말을 잘 듣자! 하는 일이 잘 된다!

3. 어머니가 아버지에게 이렇게 대했으면 하는 아내가 되겠습니다. 새언니가 친오빠에게 이렇게 대했으면 하는 아내가 되겠습니다.

4. 아내 몸은 남편 거다. 빌려 쓰는 거다! 담배, 술, 몸에 무리가 가는 모든 것 자제 하고 건강관리, 자기관리 하겠습니다.

5. 남편에게 받은 사랑(외조) 보답하기 위해 머리, 가슴, 몸, 돈으로 실천 하겠습니다. 남편 사랑 안에 남편의 잔소리 포함되어 있다.

6. 남편을 몸, 마음, 돈으로 평생 웃게 해서 호강시켜주겠습니다.

7. 남편을 존경하겠습니다. 세상에 남편 같은 남자 없습니다.

8. 남편 빼고는 모든 남자는 공룡이다! 정신으로 살겠습니다.

9. 남편 피로 해소를 위해 어깨 안마 5분씩 해주겠습니다.

10. 많은 사람들에게 인정받는 아내가 아닌 남편에게 인정받는 아내가 되기 위해 먼저 맞춰가는 아내가 되겠습니다.

11. 남편에게 무조건 지겠습니다. 이기려 하지 않겠습니다. 남편 앞에서는 나직성자체를 내려놓겠습니다. (나이, 직급, 성별, 자존심, 체면)

12. 지저분한 것(음식물 쓰레기, 화장실 청소)같이 하겠습니다.

13. 함께하는 한 가지를 위해 개인 생활 10가지를 감수하겠습니다.

Dear. 　　　　　OO는

행복을 존재하게 한다?

OO는

행복을 만들어 낸다?

OO는

행복을 사라지게 할 수도 있다?

신이 인간과 함께 할 수 없어서

OO를 내려보냈다.

- 최보규 방탄사랑 창시자 -

2

Dear. 평생을 같이 살고
늘 함께 하는 사람을

행복하게 못해주는데
그 어느 곳에서 행복할 수 있을까요?

행복할 자격이 없는 것입니다!

가정, 가족, 아내를 행복하게 못하는데
행복하다고 하는 사람의 행복은
가짜입니다.

- 최보규 방탄사랑 창시자 -

3

Dear. 　당신을 만나 행복을 찾았고

당신을 만나 나를 알게 되었고

당신을 만나 삶의 이유를 알았고

．

．

．

．

당신의 행복이
내 행복이라는 것을 알았습니다.

- 최보규 방탄사랑 창시자 -

4

Dear.　태양, 물, 공기, 땅, 자연,
동물, 사람 없으면 살아도

첫사랑이자 끝사랑인
그 사람 없으면 하루도 못 삽니다.

내가 지구에 온 이유는
당신을 만나기 위해서입니다!

제 삶의 이유는 당신을 웃게 하는 것이고

제 삶의 행복은
당신을 행복하게 하는 것입니다.

- 최보규 방탄사랑 창시자 -

179

Dear.   이 사람은 늘 감사, 긍정의 말
한마디 한마디가 저에 행복을 충전시켜줍니다.

이 사람은 꾸준한 자기관리하는 모습으로
저에 행복을 충전시켜줍니다.

이 사람은 부모를 챙기는 모습으로
저에 행복을 충전시켜줍니다.

.

무한 에너지인 태양광 에너지처럼
저에 행복을 무한 충전해 주는 사람!

아내는 가정의 행복을 지켜주는 유일한
행복 태양광 에너지!

- 최보규 방탄사랑 창시자 -

최보규 방탄리더십 전문가의 습관 320가지 (2008년 ~ 진행 중)

1. 전신 장기기증	14. 얼굴 눈 스트레칭	27. 좋은 글 점심때 보내기	41. 탄산음료, 과일주스 줄이기
2. 유서 써놓기	15. 박장대소 하루 2회	28. 사랑의 전화 봉사	42. 아침 유산균 챙기기
3. 꿈 목표 설정	16. 기상 직후 양치질	29. 주말 유치원 봉사	43. 고자세
4. 영양제 챙기기	물먹기	30. 지인 상담봉사	44. 스마트폰 소독 2번
5. 꿀 챙기기	17. 물 7잔 마시기	31. 강의 재능기부	45. 게임 안 하기
6. 계단 이용	18. 밥 먹는 줌 물 조금만	32. 사랑의 전화 후원	46. SNS 도움 되는 것 공유
7. 8시간 숙면	19. 국물 줄이기	33. 강의자료 주기	47. 전단지 받기
8. 취침 4시간 전 안 먹기	20. 밥 먹고 30후 커피	34. TV 줄이기	48. 긍정, 멘탈 사용설명서 도구
9. 기상 후, 자기 전	마시기	35. 부정적인 뉴스 줄이기	스티커 나눠주기
스트레칭 10분	21. 기상 직후 책 듣기	36. 솔선수범하기	49. 학습자 선물 주기
10. 술, 담배 안 하기	22. 한 달 책 15권 보기	37. 지인들 선물 챙기기	50. 강의 피드백 해주기
11. 하루 운동 30분	23. 책 메모하기	38. 한 달 한번 등산	51. 자일리톨 원석 먹기 하루 3개
12. 밀가루 기름진 음식	24. 메모 ppt 만들기	39. 몸에 무리 가는 행동	52. 찬물 줄이고 물 미온수 먹기
줄이기	25. SNS 캡처 자료수집	안 하기	53. 소금물 가글
13. 자극적인 음식 줄이기	26. 강의 자료 항상 찾기	40. 하루 감사 기도 마무리	54. 알람 듣고 바로 일어나기

최보규 방탄리더십 전문가의 습관 320가지 (2008년 ~ 진행 중)

55. 오전 10시 이후 커피 먹기	69. 취침 전 30분 독서	81. 마라톤 하프 도전
56. 믹스커피 안 먹기	70. 취침 전 30분 스마트폰 안 보기	82. 마라톤 풀코스 도전
57. 강의 족보 주기	71. 오늘이 마지막인 것처럼 섬기고	83. 자기 전 5분 명상
58. 강의 동영상 주기	영원히 살 것처럼 배우기	84. 뱃살 스트레칭 3분
59. 강의 녹음파일 주기	72. 자존심 신발장에 넣어 두고 나오기	85. 아침 동기부여 사진 보내기 8시
60. 블로그 좋은 글 나누기	73. 내가 받은 상처는 모래에 새기고	86. 저녁 동기부여 사진 보내기 9시
61. 인스턴트 음식 줄이기	내가 받은 은혜는 대리석에 새기기	87. 나의 1%는 누군가에게는
62. 아이스크림 줄이기	74. 어제의 나와 비교하기	100%가 될 수 있다. 실천
63. 빨리 걷기	75. 어제 보다 0.1% 성장하기	88. 150세까지 지금 몸매, 몸 상태
64. 배워서 남 주자 실천(PPT)	76. 세상에서 가장 중요한 스펙?	유지 관리
65. 읽어서 남 주자 실천(책 속의 글)	건강, 태도 실천하기	89. 아침 달걀 먹기
66. 오른손으로 차 문 열기	77. 나방이 되지 않기	90. 운동 후 달걀 먹기
67. 오손도손 오손 왼손 캠페인	78. 마라톤 10주 프로그램 시작	91. 헬스장 등록
전파하기	79. 마라톤 5km 도전	92. 오래 살기 위해서가 아니라 옳게
68. 운전 중 스마트폰 안 보기	80. 마라톤 10km 도전	살기 위해 노력하는 사람이 되자
		93. 남들이 하는 거 안 하기
		남들이 안 하는 거 하기

최보규 방탄리더십 전문가의 습관 320가지 (2008년 ~ 진행 중)

94. 아침 결명자차 마시기
95. 저녁 결명자차 마시기
96. 폼롤러 스트레칭
97. 어제보다 나은 내가 되자
98. 남들이 안 하는 강의 분야 도전
99. 플랭크 운동
100. 스쿼터 운동
101. 계산할 때 양손으로 주고받고 인사
102. 명함 거울 선물 주기
103. 40살 되기 전 책 출간
104. 반 100년 되기 전 책 5권 집필하기
105. 유튜브[나다운TV] 강사심폐소생술
106. 유튜브[나다운TV] 나다운심폐소생술
107. 아.원.때.시.후.성.실 말 줄이기
108. 나다운 강사 책 유튜브 올려 함께 잘 되기
109. 리플렛으로 동기부여 시켜주기

110. 아침 8시 동기부여 메시지 만들어 보내기
111. 저녁 9시 동기부여 메시지 만들어 보내기
112. 어플 책 속의 한 줄에 책 내용 올리기
113. 책 내용 SNS 오픈
114. 3번째 책 원고 작업 시작
115. 4번째 책 자료수집
116. 뱃살관리 스트레칭 아침, 저녁 5분
117. 3번째 책 기획출판계약
118. 최보규강사사관학교 시작
119. 최보규강사사관학교 지회 원장 임명
120. 올 노(올바른 노력)공식 오픈
121. 행복, 방탄멘탈 공식 자자자멘습금 오픈
122. 생화 네 잎 클로버 선물 주기
123. 세바시를 통해 극단적인선택 예방 전파!
124. 세바시를 통해 자자자멘습금 사용설명서 전파!
125. 4번째 책 원고 시작 2021년 1월 출간 목표!
126. 전염성이 강한 상황 왔을 때 대처하기 위한 준비!
127. 코로나19 극복을 위한 공적 마스크 독고 어르신들 주기!

최보규 방탄리더십 전문가의 습관 320가지 (2008년 ~ 진행 중)

128. 아내를 위해 앉아서 소변보기
129. 들어라 하지 말고 듣게 하자
130. 좋은 사람이 되지 말고 좋은 사람 되어주자.
131. 좋아하게 하지 말고 좋아지게 하자
132. 보여주는(인기)인생을 사는 것보다
    보여지는(인정)인생을 살아가자.
133. 나 이런 사람이야 말고 알아도
    이런 사람이구나 느끼게 하자.
134. 마음을 얻으려 하지 말고 마음을 열게 하자.
135. 믿으라 하지 말고 믿게 하자
136. 나에 행복 0순위는 아내의 행복이다!
    일어나서 자기 전까지 모든 것 아내에게 집중!
137. 아내 말을 잘 듣자 하는 일이 잘 된다!
138. 아버지가 어머니에게 이렇게 대했으면 하는 남편이
    되겠습니다. 매형들이 누나들에게 이렇게 대했으면
    하는 남편이 되겠습니다.
139. 내 몸은 아내꺼다. 빌려 쓰는 거다! 담배, 술, 몸에
    무리가 가는 모든 것 자제 하고 건강관리, 자기관리
    하겠습니다.
140. 아내의 은혜를 보답하기 위해 머리, 가슴, 몸, 돈으로
    실천하겠습니다!

141. 아내에게 받은 사랑(내조) 보답하기 위해 머리, 가슴, 몸, 돈
    으로 실천하겠습니다.
142. 아내를 몸, 돈으로 평생 웃게 해서 호강시켜주겠습니다.
143. 아내를 존경하겠습니다. 세상에 아내 같은 여자 없습니다.
144. 아내 빼고는 모든 여자는 공룡이다! 정신으로 살겠습니다.
145. 많은 사람들에게 인정받는 남편이 아닌 아내에게 인정받는
    남편이 되기 위해 먼저 맞춰가는 남편이 되겠습니다.
146. 아내에게 무조건 지겠습니다.
    이기려 하지 않겠습니다. 아내 앞에서는 나직성자체를
    내려놓겠습니다. (나이, 직급, 성별, 자존심, 체면)
147. 지저분한 것(음식물 쓰레기, 화장실 청소)다 하겠습니다.
148. 함께하는 한 가지를 위해 개인 생활 10가지를 감수하겠습니다.
149. 최강자 학습지 시작 (최보규의 강사학습지, 자기계발학습지)
150. 홈코 시작(집에서 화상 1:1 케어)
151. 불자의 인생 시작
152. 나는 복덩어리다. 나는 운이 좋은 사람이다.
153. 베스트셀러 3권 달성 노하우 책쓰기 교육 시작
154. 유튜브, 유튜버 100년 하는 노하우 교육 시작

최보규 방탄리더십 전문가의 습관 320가지 (2008년 ~ 진행 중)

155. 방탄멘탈마스터 양성 시작
156. 나다운 방탄멘탈 책으로 극단적인 선택 줄이기
157. 아침 8시, 저녁 9시 방탄멘탈공식 SNS 공유
158. 5번째 책 2022년 나다운 방탄사랑
159. 2023 나다운 방탄멘탈 2
160. 2024 나다운 책 쓰기(100년 가는 책)
161. 2025 유튜버가 아니라 나튜버 (100년 가는 나튜버)
162. 2026 나다운 강사3(Q&A)
163. 2027 나다운 명언
164. 2029 나다운 인생(50살 자서전)
165. 줌 화상 기법 강의, 코칭(최보규줌사관학교)
166. 언택트(비대면)시대에 맞게 아날로그 방식 80%를
     디지털 방식 80%로 체인지
167. 변기 뚜껑 닫고 물 내리기
168. 빨래개기
169. 요리하기, 요리책 내기 위한 자료 수집
170. 화장실 물기 제거

171. 부엌 청소, 집 청소, 화장실 청소
172. 사랑해 100번 표현하기
173. 아내에게 하루 마무리 안마 5분 해주기
174. 헌혈 2달에 1번
175. 헌혈증 기부
176. 네 번째 책 행복 히어로 책 출간
177. 극단적인 선택률, 이혼율 낮추기 위한 교육 시작
178. 행복을 높이기 위한 교육 시작
179. 다섯 번째 책 원고 작업 시작
180. 여섯 번째 책 자료 수집
181. 운전 중 양보 해 줄 때, 받을 때 목례로 인사하기.
182. 다섯 번째 책 나다운 방탄습관블록 출간
183. 습관사관학교 시스템 완성
184. 습관 코칭, 교육 시작
185. 아침 8시, 저녁 9시 습관 메시지 sns 공유
186. 습관 전문가 되어 무료 케어 상담 시작
187. 습관 콘텐츠 유튜브<행복히어로>에 무료 오픈 시작

최보규 방탄리더십 전문가의 습관 320가지 (2008년 ~ 진행 중)

188. 여섯 번째 책 원고 작업 시작
189. 최보규상(대한민국 노벨상) 버킷리스트 설정
190. 2037년까지 운영진, 자금(상금), 시스템 완성 목표 설정
191. 최보규상을 1,000년 동안 유지하기 위한 공부
192. 일곱 번째 자존감 책 원고 작업
193. 여덟 번째 책 쓰기 책 자료 수집, 공부
194. 앉아서 일할 때 50분의 한번 건강 타이머 누르기
195. 세계 최초 자기계발쇼핑몰(www.자기계발아마존.com)
196. 온라인 건물주 분양 시작(월세, 연금성 소득 올릴 수 있는 시스템)
197. 일곱, 여덟 번째 책 출간 (나다운 방탄자존감 명언 Ⅰ, Ⅱ)
198. 자기계발코칭전문가 1급, 2급 자격증 교육 시작
199. 방탄자기계발사관학교 Ⅰ, Ⅱ, Ⅲ, Ⅳ 4권 출간
200. 2021년에 목표였던 9권 책 출간 달성!
201. 하루 3번 호흡 스펙 습관 쌓기 시작
     (코 8초 마시고, 5초 멈추고, 입으로 8초 내뱉기)
202. 장모님께 출간 한 책 12권 드리기
203. 2022년 최보규의 책 쓰기9 원고 작업 시작
204. 100만 프리랜서들 도움주기 위한 프로젝트 시작

205. 방탄 자존감 코칭 기술
206. 방탄 자신감 코칭 기술
207. 방탄 자기관리 코칭 기술
208. 방탄 자기계발 코칭 기술
209. 방탄 멘탈 코칭 기술
210. 방탄 습관 코칭 기술
211. 방탄 긍정 코칭 기술
212. 방탄 행복 코칭 기술
213. 방탄 동기부여 코칭 기술
214. 방탄 정신교육 코칭 기술
215. 꿈 코칭 기술
216. 목표 코칭 기술
217. 방탄 강사 코칭 기술
218. 방탄 강의 코칭 기술
219. 파워포인트 코칭 기술
220. 강사 트레이닝 코칭 기술
221. 강사 스킬UP 코칭 기술
222. 강사 인성, 멘탈 코칭 기술

최보규 방탄리더십 전문가의 습관 320가지 (2008년 ~ 진행 중)

223. 강사 습관 코칭 기술
224. 강사 자기계발 코칭 기술
225. 강사 자기관리 코칭 기술
226. 강사 양성 코칭 기술
227. 강사 양성 과정 코칭 기술
228. 퍼스널브랜딩 코칭 기술
229. 방탄 리더십 코칭 기술
230. 방탄 인간관계 코칭 기술
231. 방탄 인성 코칭 기술
232. 방탄 사랑 코칭 기술
233. 스트레스 해소 코칭 기술
234. 힐링, 웃음, FUN 코칭 기술
235. 마인드컨트롤 코칭 기술
236. 사명감 코칭 기술
237. 신념, 열정 코칭 기술
238. 팀워크 코칭 기술
239. 협동, 협업 코칭 기술
240. 버킷리스트 코칭 기술

241. 종이책 쓰기 코칭 기술
242. PDF 책 쓰기 코칭 기술
243. PPT로 책 출간 코칭 기술
244. 자격증 교육 커리큘럼으로 책 출간 코칭 기술
245. 자격증 교육 커리큘럼으로 영상 제작 코칭 기술
246. 책으로 디지털콘텐츠 제작 코칭 기술
247. 책으로 온라인 콘텐츠 제작 코칭 기술
248. 책으로 네이버 인물 등록 코칭 기술
249. 책으로 강의 교안 제작 코칭 기술
250. 책으로 민간 자격증 만드는 코칭 기술
251. 책으로 자격증 과정 8시간 제작 코칭 기술
252. 책으로 유튜브 콘텐츠 제작 코칭 기술
253. 유튜브 시작 코칭 기술
254. 유튜브 자존감 코칭 기술
255. 유튜브 멘탈 코칭 기술
256. 유튜브 습관 코칭 기술
257. 유튜브 목표, 방향 코칭 기술
258. 유튜브 동기부여 코칭 기술

최보규 방탄리더십 전문가의 습관 320가지 (2008년 ~ 진행 중)

259. 유튜브가 아닌 나튜브 코칭 기술
260. 유튜브 영상 제작 코칭 기술
261. 유튜브 영상 편집 코칭 기술
262. 유튜브 울렁증 극복 코칭 기술
263. 유튜브 썸네일 디자인 제작 코칭 기술
264. 유튜브 콘텐츠 제작 코칭 기술
265. 유튜브 수입 연결 제작 코칭 기술
266. 유튜브 영상 홍보 코칭 기술
267. 홈페이지 무인시스템 연결 제작 코칭 기술
268. 홈페이지 자동 결제 시스템 제작 코칭 기술
269. 홈페이지 비메오 연결 제작 코칭 기술
270. 홈페이지 랜탈 시스템 제작 코칭 기술
271. 홈페이지 디자인 제작 코칭 기술
272. 홈페이지 제작 코칭 기술
273. 재능마켓 크몽 PDF 입점 코칭 기술
274. 재능마켓 크몽 강의 입점 코칭 기술
275. 재능마켓 크몽 이미지 디자인 제작 코칭 기술
276. 재능마켓 크몽 입점 영상 제작 코칭 기술

277. 재능마켓 크몽 입점 영상 편집 코칭 기술
278. 재능마켓 크몽 VOD 입점 코칭 기술
279. 클래스101 영상 입점 코칭 기술
280. 클래스101 PDF 입점 코칭 기술
281. 클래스101 이미지 디자인 제작 코칭 기술
282. 클래스101 영상 제작 코칭 기술
283. 클래스101 영상 편집 코칭 기술
284. 탈잉 영상 입점 코칭 기술
285. 탈잉 PDF 입점 코칭 기술
286. 탈잉 이미지 디자인 제작 코칭 기술
287. 탈잉 영상 제작 코칭 기술
288. 탈잉영상 편집 코칭 기술
289. 탈잉 VOD 입점 코칭 기술
290. 클래스U 영상 입점 코칭 기술
291. 클래스U 영상 제작 코칭 기술
292. 클래스U 영상 편집 코칭 기술
293. 클래스U 이미지 디자인 제작 코칭 기술
294. 클래스U 커리큘럼 제작 코칭 기술

최보규 방탄리더십 전문가의 습관 320가지 (2008년 ~ 진행 중)

295. 인률 입점 코칭 기술
296. 자신 분야 콘텐츠 제작 코칭 기술
297. 자신 분야 콘텐츠 컨설팅 코칭 기술
298. 자기계발코칭전문가 1시간 ~ 1년 코칭 기술
299. 강사코칭전문가, 리더십코칭전문가 1시간 ~ 1년 코칭 기술
300. 온라인 건물주 되는 코칭 기술
301. 강사 1:1 코칭기법 코칭 기술
302. 전문 분야 있는 사람 1:1 코칭 기법 코칭 기술
303. CEO, 대표, 리더, 협회장 품위유지의무 코칭 기술
304. 은퇴 준비 코칭 기술
305. 2023년 나다운 방탄리더십 1, 2, 3, 4, 5 출간
306. 나다운 방탄리더십 아침, 저녁 메시지 시작
307. 강사코칭전문가 자격증 시스템 시작
308. 방탄 리더십 원고 작업 시작
309. 방탄 리더 자존감 원고 작업 시작
310. 방탄 리더 멘탈 원고 작업 시작
311. 방탄 리더 습관 원고 작업 시작
312. 방탄 리더 행복 원고 작업 시작
313. 방탄 리더 자기계발 원고 작업 시작
314. 방탄 리더 코칭 원고 작업 시작
315. 마트에서 구입한 물건들 바코드 정렬해서 올리기
316. 장모님 머리 염색해 주기
317. 처남 금연, 금주 도와주기
318. 한 해 시작할 때 습관 영상 업로드
319. 결혼기념일 뱃지, 명찰 제작
320. 뒤꿈치 들기 운동 시작

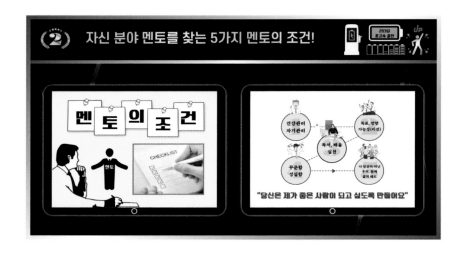

▶ 스토리텔링 전체 내용!

※ 자기계발 잘 하는 사람의 5가지 기준!
첫 번째, 자기 관리, 건강관리를 잘하는 사람.
모든 시작은 자기 관리, 건강에서 시작한다. 자기 관리
가 안 돼서 몸이 아프면 모든 게 만사가 귀찮다. 몸이
아프면 부정적인 생각이 드는 게 사람의 심리다. 바디갑
이 자존감, 멘탈 갑이듯 자기 관리, 건강관리가 잘 돼야
마인드 컨트롤이 잘 되서 자신 삶의 페이스 유지를 잘
할 수 있다.
자기 관리, 건강관리를 잘하는 사람이 주위에 있는가?
내가 그런 사람이 아니라면 주변에 자기관리, 건강관리

잘 하는 사람이 대부분 없다. 상대방이 자기계발을 잘하는 사람인지 아닌지 알 수 있는 방법은 가장 먼저 밝은 표정인지, 말투에서 힘이 느껴지는지, 모습이 자기 관리, 건강관리가 잘 되어 보이는지 이런 것들을 보고 판단할 수 있다. 그래서 필자는 320가지 자기계발 습관 중에 50%가 자기 관리, 건강관리다.

두 번째, 목표, 방향, 가능성(비전)이 있는 사람.
"저 사람 옆에 있으면 나도 변할 수 있겠다. 나도 무엇이든 되겠다. 저 사람은 내가 좋은 사람이 되고 싶도록 만들어!" "저 사람과 함께라면 나도 가능성이 있겠다." 라는 함께 하고 싶다는 마음을 주는 사람이다.

리더라면 누구나 이런 사람이 되고 싶어 할 것이다. 그래서 필자도 이런 사람이 되기 위해서 가치, 비전, 목표, 방향, 가능성을 높이기 위해 실천했다. 사람마다 다르겠지만 필자의 결과물이 50개였다면 5,000,000배 시행착오, 대가 지불, 인고의 시간이 들어갔다. 이제는 시행착오, 대가 지불, 인고의 시간을 단축시키는 기술력을 익히게 되었다. 그 결과물들 벤치마킹해서 당신답게 만들길 바란다.

세 번째, 책을 꾸준하게 보고 실천하는 사람.

책을 많이 읽는 사람인지 아닌지 대화 5분만 해봐도 알수 있다. 책을 많이 보는 사람의 대화와 책을 아예 안 읽는 사람의 대화는 완전히 다르다. 표정, 행동, 기운이 다르다.

우종만 박사님이 이런 말을 했다. 아는 것이 힘이던 시대는 지났다. 생각이든 결심이든 실천이 없으면 아무 소용이 없다. 쓰레기 된다. 하는 것이 힘이다. 1%를 하더라도 실천하는 자가 행복한 사람이다.

그래서 필자는 한 달에 15권씩 꾸준히 책을 읽고 15년동안 2,000권 독서, 자기계발 책 29권을 출간하고 리더 자기계발 습관 320가지를 만들었다는 것이다. 대한민국에 리더 자기계발교육을 잘하는 사람들은 많다. 최보규 방탄리더 자기계발 전문가만큼 내공이 있는 사람은 단언컨대 세상에 없다.

네 번째, 꾸준히 하는 것이 많은 사람.
꾸준함 속에 성실함, 인내심, 목표, 긍정, 희망, 미래, 성장, 변화, 배움이 있다.
자동차에 연료가 없으면 움직이지 않듯 자신이 이루고자 하는 모든 것들은 꾸준함이라는 연료가 있어야 한다. 꾸준히 하고 있는 게 많으면 진짜 자기계발 잘하는 사람이다.

다음은 좌절, 실망, 실패를 겪더라도 꾸준함이 있어야만
결과를 만들어 낼 수 있다는 것을 깨닫게 해주는 스토
리텔링이다.

다람쥐는 모아둔 도토리의 대부분을 잃어버린다.
두 볼 가득 도토리를 채운 다람쥐는 하루 37번을 왕복
하며 겨울을 대비할 식량을 땅속에 저장한다. 하지만,
여러 군데 나누다 어느새 너무 흩어 저버린 도토리. 결
국 다람쥐가 다시 찾게 되는 도토리는 겨우 1/10정도.
나머지 도토리들은 다 어떻게 된 걸까?
이듬해 봄이 돌아오면 다람쥐가 찾던 도토리들은 그렇
게, 잃어버린 줄 알았던 90%의 도토리가 참나무 숲을
이루고 그 나무들은 몇 년이 지나 다람쥐들에게 수천
개의 도토리로 돌아온다. 우리에게도 도토리를 찾지 못
하고 있는 시간들이 있다. 오랜 시간 최선의 노력을 기
울였던 시험에서 속절없이 떨어졌을 때 오랜 기간 준비
해온 것이 너무도 쉽게 물거품이 되어 버렸을 때 우리
어떠한 노력의 결과도 얻지 못한 거 같아 좌절하곤 한
다.
하지만 당신의 도토리는 결코 사라진 것이 아니다.
단지 땅에서 씨앗이 되고 있을 뿐이다. 한번 생각해보

라. 당신이 몇 개의 도토리를 잃어버렸는지 그리고 당신에게 몇 그루의 참나무가 열릴 것인지를 기억하자 실패는 끝이 아닌 시작이다.

<열정에 기름 붓기>

다람쥐의 양질전환 법칙을 생각해야 한다. 양이 많아야 질적으로 전환이 되는 것처럼 결과가 바로 나오지 않더라도 꾸준히 하고 있는 것이 많아야 한다. 꾸준함 속에서 어떤 것이 결과를 만들어 낼지 모르기 때문이다.

곰곰이 생각해 보자! 이 책을 보고 있는 당신은 지금 꾸준히 하고 있는 게 몇 개나 되는가?
대부분 사람들은 꾸준히 하고 있는 게 많다? 치킨을 꾸준히 먹는다. 담배를 꾸준히 피운다. 인스턴트를 꾸준히 먹는다. 정신, 몸에 무리가 가는 행동들을 꾸준히 한다.
필자는 15년 전 강사가 되고 나서 지금까지 꾸준히 하고 있는 게 책 2,000권 독서, 한 달에 15권 독서, 자기계발 습관 320가지를 만듦, 450명에게 점심 간 때 좋은 메시지, 영상 공유, 기부, 나눔을 실천 하고 있으며 생명지킴이 심리 상담 봉사, 유튜브 5년 차, 2019년 ~ 2023년 까지 39권 출간을 꾸준히 하고 있다.

다섯 번째, 함께 잘 되기 위한 행동을 많이 하는 사람.

나의 1%는 누군가에게는 살아가는 100%가 될 수 있다. "내가 어려운 사람을 돕는 것이 아니라 어려운 사람이 내게 도울 기회를 주는 거다." 이런 마음으로 자신의 사소한 말, 표정, 행동들이 오로지 자신을 위해서가 아니라 함께 잘 되기 위한 행동들이 많은 사람이다.

한 마디로 "혼자 잘 되고 잘살자" 마인드가 아니라 "함께 잘 되고 잘살자" 마인드가 있는 사람이다.

내가 보는 게, 내가 듣는 게, 내가 행동하는 게 오로지 나를 위함이 아닌 함께 잘 살기 위한 행동이 많은 리더 자기계발을 해야 한다. 혼자만이 발전, 변화, 성장, 나음이 아닌 우리, 함께 발전, 변화, 성장, 나음이 될 수 있는 방탄리더 자기계발이 되어야 한다. 더 나아가 사회와 나라 발전에 이바지할 수 있는 방탄리더 자기계발을 해야 한다. 다음은 공생관계 스토리텔링이다.

터키 도안 통신(DHA)과 외신은 실제로 피해를 입은 남성의 유튜브와에 올라온 사연을 전했습니다. 터키 북동부의 트라브존에서 양봉업 이브라힘 세데프(Ibrahim Sedef)는 3년 전부터 상습적인 곰의 습격으로 1만 달러(한화 약 1,200만원)에 달하는 피해를 보았습니다.
그는 곰이 꿀을 훔쳐 가지 못하도록 철장 안에다 넣었

습니다. 또 다른 음식을 두기도 했지만 곰의 꿀을 향한 집념을 막을 수 없었습니다. 모든 방법과 시도들이 물거품이 되자, 그는 역발상을 하게 됐습니다. 그의 양봉 농장에 카메라를 설치하였고 다양한 꿀을 나열해 놓았습니다. 그리고 밤손님 곰에게 시식을 맡긴 것이었죠. 결과는 대박이었습니다. 여러 날의 시식 결과 곰은 세데프의 안제르(Anzer) 꿀만 찾았습니다. 그는 이 촬영 영상과 함께 안제르 꿀을 쇼핑몰에 올렸고, 불티나게 그의 꿀이 팔렸습니다. 안제르 꿀은 1kg에 300달러를 호가한다고 합니다.

<유튜브 Demirören Haber Ajansı>

공생 관계인 코뿔소와 코뿔소 새, 소나무와 송이버섯, 곰치와 청소놀래기처럼 리더 자기계발은 함께 잘 살기 위한 방탄자기계발을 했을 때 더 시너지효과가 나는 것이다.

필자가 공생관계태도 리더십(20,000명 심리 상담, 코칭)을 통해 책을 쓰는데, 코칭하는데, 국가등록 민간 자격증 만드는데, 10개 분야 50시간 코칭 커리큘럼을 만드는데, 사람을 살리는데, 책 39권을 출간하는데, 도움이 되어 수익도 창출하고 100조의 가치를 얻을 수 있었다. 필자는 15년 동안 20,000명을 심리 상담, 코칭 하면서 늘 함께 잘 되기 위해서 상담, 코칭을 했고 습관을 만들었고 39권의 출간한 책 내용도 함께 잘 되기 위한 내용이며 유튜브를 찍더라도 작은 거라도 도움을 주기 위해서 노하우를 오픈하고 있다.

최보규 방탄리더십 전문가의 말, 표정, 행동에서 "함께 잘 되고 잘 살자" 마인드로 표현하는지 자기 자신만 생각하고 말, 표정, 행동하는지는 대화 30분만 해보면 알 것이다.

"함께 잘 되고 잘 살자" 마인드가 어떤 표현인지 어떤 것인지 30분 안에 느끼고 싶다면 무료 상담 받아 보라.
<최보규 방탄리더십 창시자 010-6578-8295>
단언컨대 30분 안에 "함께 잘 되고 잘 살자" 마인드가 어떤 것인지 느끼게 해줄 수 있다.

방탄리더 자기계발을 통해 리더는 인재를 알아볼 수 있는 기술을 쌓아야 한다. 인재를 알아보고 인재를 양성하는 것도 스펙이고 기술력이다. 30분만 대화를 해보면 함께 하고 싶은 사람인지 멀리하고 싶은 사람인지 느낄 수 있어야 걸러낼 수 있다. 리더는 함께 할 사람인지 걸러내야 할 사람인지 구분을 할 수 있어야만 조직체가 튼튼해진다. 그러기 위해서는 리더가 일반 자기계발이 아닌 방탄리더 자기계발을 해야 한다. 방탄리더 자기계발을 잘 하기 위한 최고의 방법은 방탄리더 자기계발을 잘하는 사람을 찾아야 한다. 직접 만나 배우고 꾸준히 a/s, 피드백, 관리받을 때 배움이 오래 지속되고 자생능력(스스로 할 수 있는 능력)이 생기는 것이다.

자기계발 잘하는 사람의 기준을 알면 자기계발 잘하는 사람들을 찾을 수 있다. 주위에 있는가? 잘하는 사람은 있지만 검증된 사람은 아마 없을 것이다. 검증된 사람에게 코칭을 받아야 돈과 시간 낭비를 줄일 수 있다,

교육, 코칭을 받더라도 순간 단타로 끝나는 것이 아니라 함께 잘 되기 위해서 한 번의 코칭으로 150년 A/S, 관리, 피드백해 줄 수 있는 코칭 과정이 대한민국에 있을까?

세상에 필자보다 자기계발 코칭을 잘하는 사람은 많다. 단언컨대 최보규 방탄자기계발 전문가보다 코칭 받는 사람을 사랑으로 150년 a/s, 피드백, 관리, 코칭해 주는 검증된 전문가는 대한민국에 없다! 세계에 없다!

《리더 자기계발 PT 7》

멘토의 중요성은 알겠습니다! 그런데...

멘토 찾기는 어려운 거 같고
누구한테 신세 지기도 싫고
아쉬운 소리 하기도 싫고
시간, 돈이 많이 들거 같고

셀프로 최소의 비용으로 최대 효과를 볼 수 있는
자존감, 멘탈 배터리 충전 방법 없나요?
방법 알려주시면 진짜 열심히 해 보겠습니다!

② 20,000명 심리 상담, 코칭으로 알게 된
셀프 자존감, 멘탈 충전하는 방법!

자존감, 멘탈 배터리 일반 충전, 고속 충전
습관 320가지 중에 일부분 벤치마킹하자!

20,000명 심리 상담, 코칭으로 알게 된 셀프 자존감, 멘탈 충전하는 방법!

- 8시간 숙면하는 것이 자존감, 멘탈 배터리 일반 충전이다.
- 알람 듣고 바로 일어나는 것이 자존감, 멘탈 배터리 일반 충전이다.
- 기상 직후 양치질하고 물 한 잔 마시는 것이 자존감, 멘탈 배터리 일반 충전이다.
- 유산균, 영양제 먹는 것이 자존감, 멘탈 배터리 일반 충전이다.

- 책 읽어 주는 앱(교보문고 SAM) 실행하는 것이 자존감, 멘탈 배터리 일반 충전이다.
- 전신 스트레칭 10분 하는 것이 자존감, 멘탈 배터리 일반 충전이다.
- 세수하고 로션 바르기 전 자존감, 멘탈, 긍정 스티커 보고 얼굴 스트레칭하는 것이 자존감, 멘탈 배터리 일반 충전이다.
- 하루 2번 박장대소 15초 하는 것이 자존감, 멘탈 배터리 일반 충전이다.

20,000명 심리 상담, 코칭으로 알게 된 셀프 자존감, 멘탈 충전하는 방법!

- 현관문 앞에 문구 "보규야! 신발장에 자존심 넣어 두고 나가니?"라는 문구 보고 나오는 것이 자존감, 멘탈 배터리 일반 충전이다.
- 강의가 있건 없건 무조건 집을 나서는 것이 자존감, 멘탈 배터리 일반 충전이다.
- 강의 2~3시간 전 강의장 근처에 도착해서 책 읽는 것이 자존감, 멘탈 배터리 일반 충전이다.
- 강의 1시간 전 강의 마음가짐을 준비하는 것이 자존감, 멘탈 배터리 일반 충전이다.

- 책 메모한 것을 점심시간 때 지인 450명에게 보내는 것이 자존감, 멘탈 배터리 고속 충전이다.
- 배워서 남 주자는 마인드를 실천하는 것이 자존감, 멘탈 배터리 고속 충전이다.
- 한 달에 책 15권 읽는 것이 자존감, 멘탈 배터리 일반 충전이다.
- 담배, 술, TV, 게임 안 하는 것이 자존감, 멘탈 배터리 일반 충전이다.
- 전신 장기기증(160명에게 새로운 삶을 준다.)하고 건강관리하는 것이 자존감, 멘탈 배터리 고속 충전이다.

**20,000명 심리 상담, 코칭으로 알게 된
셀프 자존감, 멘탈 충전하는 방법!**

- 길 가다 전단지 받는 것이 자존감, 멘탈 배터리 고속 충전이다.
(그분이 1초라도 먼저 집에 갈 수 있기에)
- 쓰레기를 버리지 않는 것이 자존감, 멘탈 배터리 일반 충전이다.
- 사랑의 전화 카운슬러 봉사하는 것이 자존감, 멘탈 배터리 고속 충전이다.
- 사랑의 전화 후원하는 것이 자존감, 멘탈 배터리 고속 충전이다.

- 주말마다 유치부 봉사하는 것이 자존감, 멘탈 배터리 고속 충전이다.
- 지인 강사들 상담해 주는 것이 자존감, 멘탈 배터리 고속 충전이다.
- 물 7잔 마시는 것이 자존감, 멘탈 배터리 일반 충전이다.
- 탄산음료, 주스 줄이는 것이 자존감, 멘탈 배터리 일반 충전이다.
- 자기관리, 긍정의 모든 것이 자존감, 멘탈 배터리 일반 충전이다.

 **20,000명 심리 상담, 코칭으로 알게 된
셀프 자존감, 멘탈 충전하는 방법!**

- 마트에서 물건 사고 계산할 때 점원이 편하게 바코드를 찍을 수 있도록 구
매한 모든 제품 바코드를 보이게 올려놓으니 점원이 하는 말 "마트 10년 동
안 고객님 같은 분은 처음이네요. 바코드가 보이게 해줘서 너무 편했습니다.
너무 감사합니다."라는 말에 "별말씀을요." 말해주며 서로가 행복해지는 것
이 자존감, 멘탈 배터리 고속 충전이다.

- 편의점 범죄 하루 42건이고 한 해 15,000건이다. 편의점에서 일하시는 분
들 고충을 덜어 주기 위해 박카스 사서 주는 것이 자존감, 멘탈 배터리 고속
충전이다.

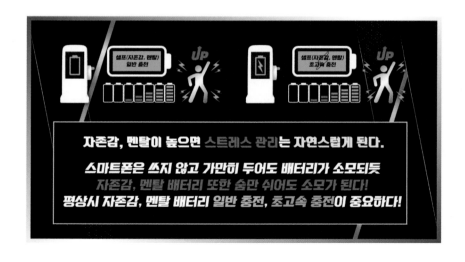

한 분야 전문성으로 힘든 시대다. 이제는 포트폴리오 커리어 시대다. (포트폴리오 커리어: 한 분야 전문성 외 다수에 전문성이 있는 사람) 자신 경력을 왜 썩히고 있는가! 자신 경력을 활용해서 6가지 수입을 발생시킬 수 있는 방탄book기술력! 언제까지 몸(노동)으로 일할 것인가? 자신 경력이 일하게 하자! 자신 콘텐츠가 일하게 하자! 시스템이 일하게 하자!

★ ★ ★ ★ ★
직장은 자신 인생을 책임져 주지 않지만
방탄book기술력은 자신 인생을 책임져 준다.
직장은 자신을 배신하지만
방탄book기술력은 자신을 배신하지 않는다.

ONLY ONE

방탄
BOOK
기술력

· [출간 한 《나다운 방탄 리더십》 책 내용]

20,000명 상담, 코칭 하면서 알게 된 리더 습관의 비밀! 세상의 수많은 습관 리더 공식이 있다. 그 리더 습관 공식 중에 나한테 맞는 것은 잘 없다. 그럴 수밖에 없는 이유가 있다.

세계 인구 80억 명이다. 그렇다면 습관 공식 80억 개다. 나다운 리더 습관 공식을 만들어 가야 한다.
하지만 세상, 현실, 시중에 있는 수많은 리더 습관 공식들, 유명한 리더 습관 공식들, 인기 있는 리더들의 습관 공식, 과학적으로 증명된 리더 습관 공식들이 마치 답인 것처럼 3혹(현혹, 유혹, 화혹: 화려함으로 혹하게 하는 것)시키고 세뇌를 시킨다.
그래서 그렇게 수많은 리더 습관 책을 많이 읽고 습관 공식을 보더라도 다 실패한다.

왜? 실패하는가? 운전으로 예를 들겠다. 세계 인구 80억 명이면 운전 습관도 80억 개의 스타일이 있고 나다운 운전 습관이 있다.
그런데 세상, 현실, 인지도 있는 리더들은 이렇게 말을 한다. 카레이서(성공 리더 공식) 운전 습관이 중요하다고 강요(세뇌)를 한다. "당신의 운전 습관은 필요 없고 틀렸다. 카레이서 운전 습관이 더 중요하다. 나다운 운전 습관은 중요하지 않다."

자기다운 운전 습관, 나다운 운전 습관이 있는데 인지도 있는 리더들 습관 공식, 성공한 리더들 습관 공식이 마치 답인 것처럼 무작정 따라 한다. 그래서 나다운 습관을 만들지 못하고 늘 포기를 한다.

우리가 운전을 배울 때 어떻게 하는가? 운전에 가장 기본적인 10%로만 배우고 90%는 운전 경험을 통해서 나다운 운전 습관을 만들어 간다. 습관도 똑같다.

누구나 한 번쯤 경험한 적이 있을 것이다.

나다운 운전 습관이 있다 보니 운전을 아무리 잘하는 사람의 차를 타더라도 멀미가 나고 어색하며 불안하다. 왜 그럴까? 자기만의 운전 습관, 스타일이 있기 때문에 멀미가 나고 불안하다. 그래서 단언컨대 리더 습관의 가장 중요한 것은 나다운 습관을 만드는 것이다.

- 리더 습관 7:3공식이 아닌 리더 습관 3:7 공식

70% 뜻은 유명한 리더들, 인지도 있는 리더들이 말하는 공식 열 개 중에 70%인 7개를 따라 한다는 것이다. 90% 리더들은 나머지 30% 시행착오, 대가 지불, 인고

의 시간을 통한 경험을 쌓고 있다. 3:7이 아닌 7:3으로 하고 있으니 대부분 리더가 나다운 리더 습관을 쌓지 못하고 "해봤는데 안 돼, 이제 안 해"라는 태도로 자신의 변화, 성장, 미래를 포기하는 리더들이 많아졌다.

유명한 리더 습관 책, 유명한 리더 습관 공식, 성공한 리더들의 습관 공식들은 그 리더들이 살아온 시행착오, 대가 지불, 인고의 시간과 수많은 경험들이 합쳐진 결과물의 공식이기에 무작정 따라 하는 건 어렵다는 것이다. 무작정 따라 할 수밖에 없는 사람의 심리다. 만들어져 있는 것을 따라 하는 게 쉽기 때문이다. 항상 쉬운 쪽에는 변화, 성장, 배움이 없다는 것을 명심해야 한다.

3:7공식! 30% 유명한 리더, 성공한 리더가 말하는 공식 10가지 중에 30%인 3개만 벤치마킹하는 것이다.

나머지 70%는 시행착오, 대가 지불, 인고의 시간을 통해서 자기의 경험을 누적시켜야 한다. 이것이 나다운 방탄 리더 습관 쌓기 공식이다.

- 리더 습관 고.틀.선.편 깨기 (고정관념, 틀, 선입견, 편견)

세상의 모든 것은 인간의 심리인 고정관념, 틀, 선입견, 편견이 있다. 습관에도 고, 틀, 선, 편이 있다.

20,000명 심리 상담, 코칭 하면서 알게 된 것은 대부분 사람들이 고, 틀, 선, 편 개념을 잘못 알고 있다.

대부분 사람들은 고, 틀, 선, 편 개념을 "기존에 알고 있는 것을 다 지워버리고 없애버리고 무시하고 새로운 것을 받아들이고 새로운 것을 배우자" 이렇게 알고 있다.

고, 틀, 선, 편 본질은 기존에 알고 있는 것은 그대로 두고 새로운 것을 융합, 플러스하는 것이 고, 틀, 선, 편 본질이다.

기존에 알고 있는 것들을 어떻게 배웠는가? 힘들게 배웠다! 기존에 알고 있는 공식에 플러스할 수 있는 공식을 알려주겠다. 집중!

대한민국 5,200만 명이 습관을 잘못 알고 있는 게 또 있다. 습관은 바꾸는 것? 성격은 바꾸는 것? 스피치는 바꾸는 것? 1,000% 틀렸다.

그렇게 알고 있으니 습관, 성격, 스피치 바꾸는 게 어려운 것이다. 어려운 방법을 하고 있으니 당연히 안되는 게 당연하다. 첫 단추부터 잘못 끼고 있으니 다 어렵게 느껴지는 거다.

이제는 바꾸는 것이 아니라 쌓는다. 쌓아 간다! 라고 외우면 된다.

습관을 바꾸는 게 아니라 쌓는 것

성격은 바꾸는 게 아니라 쌓는 것

스피치는 바꾸는 게 아니라 쌓는 것

20,000명 심리 상담, 코칭, 2,000권 습관 책 독서, 45년간 습관 320가지 쌓으면서 알게 된 습관의 비밀! 단언컨대 습관이 왜 바꾸는 것이 아니라 쌓는 것인지 알게 해주겠다.

- 하루 중에 습관적이지 않은 행동 5%, 습관적인 행동 95%

한 사람이 하루에 하는 행동에서 5%만 습관적이지 않은 행동이고 나머지 95%는 습관적인 행동이다.

단순하게 생각해 보면 경제적인 부분을 제외한다면 습관적인 행동 95%가 삶의 질을 좌지우지한다.

아침에 눈 뜨고 잠자는 시간까지 모든 것이 습관적으로 행동한다.

95%가 습관적인 행동이기에 습관이 답이고 인생 답이 습관에 있다.

사람이 살아가는데 습관이라는 것은 산소만큼 중요하다.

습관의 모든 답이 있다. 습관은 제2의 자아다. 습관은 제2의 심장이다. 습관은 나의 부캐릭터다.

자존감이 낮은 리더들은 자존감이 낮은 습관을 하고 있고 자존감이 높은 리더들은 자존감이 높은 습관을 하고 있다. 우울한 리더들은 우울한 습관을 하고 있다. 항상 부정적인 리더들은 부정적인 습관을 평상시에 많이 한다.
긍정적인 리더, 행복한 리더들은 긍정적인 습관, 행복한 습관을 평상시에 많이 하기 때문에 행복한 것이다.

습관을 현미경으로 들여다보면 돈 쓰는 습관, 태도 습관, 자존감 습관, 터닝포인트 습관, 자신감 습관, 행복 습관, 사랑 습관, 우울 습관...자신이 살아가면서 자신의 모든 것들이 습관으로 만들어진다.
《리더 습관 PT 5》

- 방탄 리더십 교안 PPT 목차 3-1

· [출간 한《나다운 방탄 리더십》책 내용을 방탄 동기부여 교육 PPT로 디자인]

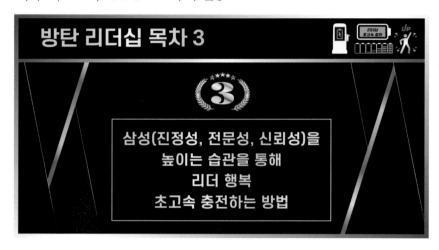

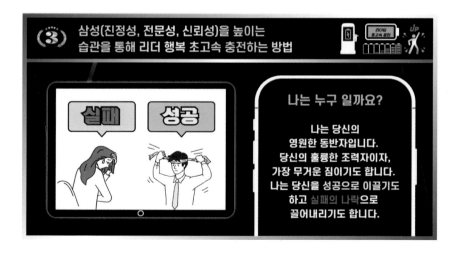

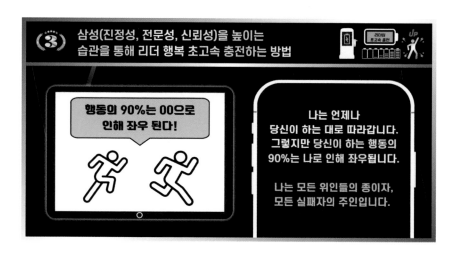

▶ 스토리텔링 전체 내용!

나는 누구일까요? 나는 당신의 영원한 동반자입니다. 당신의 훌륭한 조력자이자, 가장 무거운 짐이기도 합니다. 나는 당신을 성공으로 이끌기도 하고 실패의 나락으로 끌어내리기도 합니다. 나는 언제나 당신이 하는 대로 따라갑니다. 그렇지만 당신이 하는 행동의 90%는 나로 인해 좌우됩니다. 나는 모든 위인들의 종이자, 모든 실패자의 주인입니다. 당신은 나를 통해 발전할 수도 있고 실패할 수도 있으며, 당신은 나를 통해 모든 것을 얻을 수도 있고, 모든 것을 잃을 수도 있습니다. 나는 습관입니다.

<심리학자 윌리엄 제임스>

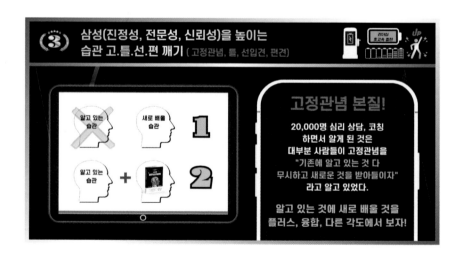

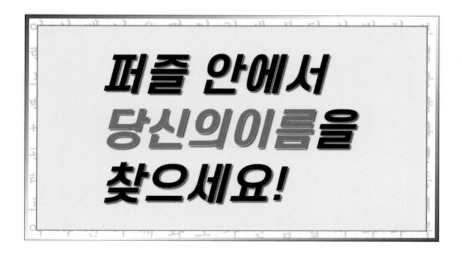

지금부터 10초동안
보여드립니다.
당신의이름을
찾으세요!

아	서	배	난	요	명	기	갓	세	브	달	십	빅	장	브
련	절	줌	아	는	형	님	둔	에	디	킴	중	복	견	벽
포	섬	추	궁	익	콘	정	담	은	당	신	의	이	름	상
백	방	탄	소	년	단	궁	매	머	해	린	복	반	크	양
세	븐	틴	댁	식	비	엑	소	촌	달	블	랙	핑	홍	화
관	찰	존	면	독	솔	래	경	절	규	촌	드	석	대	련
태	삼	벼	걸	스	데	이	유	빅	풍	소	녀	시	위	종
트	와	이	스	교	존	성	밤	망	남	복	각	관	마	너
여	자	친	구	제	화	조	가	단	감	률	지	마		무

아	서	배	난	요	명	기	갓	세	븐	달	십	빅	장	브
련	절	줌	아	는	형	님	둔	에	디	킴	중	복	견	벽
포	섬	추	궁	익	콘	정	담	은	당	신	의	이	름	상
백	방	탄	소	년	단	궁	매	머	해	린	내	복	반	양
세	븐	틴	댁	식	비	엑	소	촌	달	블	랙	핑	크	화
관	갈	존	면	독	솔	래	경	절	규	촌	드	석	홍	련
태	삼	벼	걸	스	데	이	유	빅	풍	소	녀	시	대	종
트	와	이	스	교	존	성	밤	망	남	복	각	관	위	너
여	자	친	구	제	화	조	가	단	감	률	지	마	마	무

214

마지막 10초동안
보여 드립니다. 힌트
당신의이름 글자를
찾으세요^^

```
아 서 배 난 요 명 기 갓 세 븐 달 십 빅 장 브
련 절 줌 아 는 형 님 둔 에 디 침 중 복 견 벽
포 섬 추 궁 익 콘 정 답 은 당 신 의 이 름 상
백 방 탄 소 년 단 궁 매 머 해 린 복 반 크 양
세 븐 틴 택 식 비 엑 소 촌 달 블 랙 핑 크 화
관 잘 존 면 독 솔 래 경 절 규 촌 드 석 홍 련
태 삼 벼 걸 스 데 이 유 빅 풍 소 녀 시 대 종
트 와 이 스 교 존 성 밤 망 남 복 각 관 위 너
여 자 친 구 제 화 조 가 단 감 률 지 마 마 무
```

217

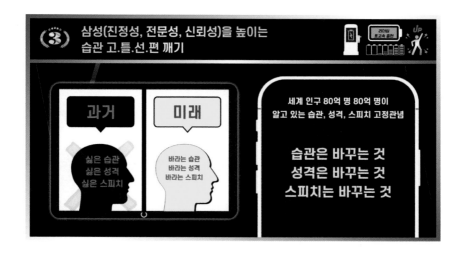

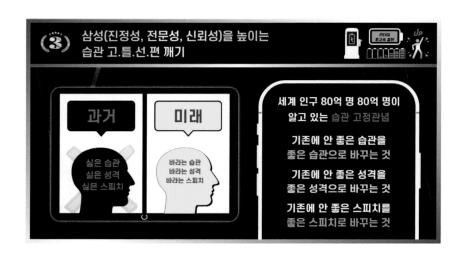

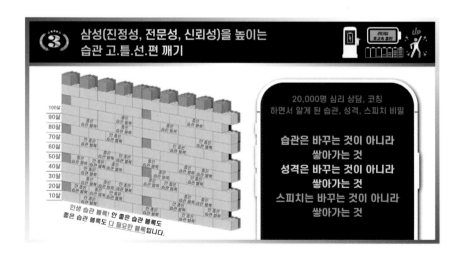

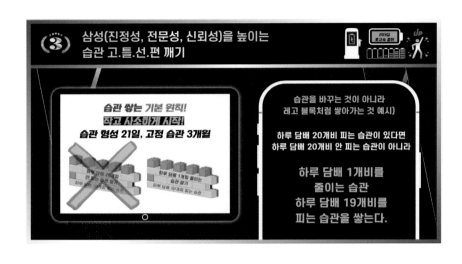

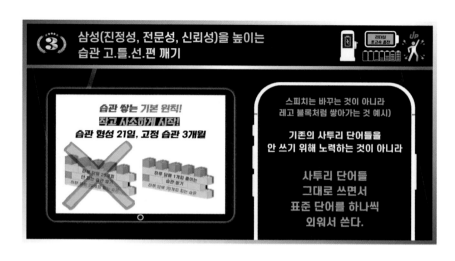

최보규 방탄리더십 전문가의 습관 320가지 (2008년 ~ 진행 중)

1. 전신 장기기증
2. 유서 써놓기
3. 꿈 목표 설정
4. 영양제 챙기기
5. 꿀 챙기기
6. 계단 이용
7. 8시간 숙면
8. 취침 4시간 전 안 먹기
9. 기상 후, 자기 전 스트레칭 10분
10. 술, 담배 안 하기
11. 하루 운동 30분
12. 밀가루 기름진 음식 줄이기
13. 자극적인 음식 줄이기

14. 얼굴 눈 스트레칭
15. 박장대소 하루 2회
16. 기상 직후 양치질 물먹기
17. 물 7잔 마시기
18. 밥 먹는 중 물 조금만
19. 국물 줄이기
20. 밥 먹고 30후 커피 마시기
21. 기상 직후 책 듣기
22. 한 달 책 15권 보기
23. 책 메모하기
24. 메모 ppt 만들기
25. SNS 캡처 자료수집
26. 강의 자료 향상 찾기

27. 좋은 글 점심때 보내기
28. 사랑의 전화 봉사
29. 주말 유치원 봉사
30. 지인 상담봉사
31. 강의 재능기부
32. 사랑의 전화 후원
33. 강의자료 주기
34. TV 줄이기
35. 부정적인 뉴스 줄이기
36. 솔선수범하기
37. 지인들 선물 챙기기
38. 한 달 한번 등산
39. 몸에 무리 가는 행동 안 하기
40. 하루 감사 기도 마무리

41. 탄산음료, 과일주스 줄이기
42. 아침 유산균 챙기기
43. 고자세
44. 스마트폰 소독 2번
45. 게임 안 하기
46. SNS 도움 되는 것 공유
47. 전단지 받기
48. 긍정, 멘탈 사용설명서 도구 스티커 나눠주기
49. 학습자 선물 주기
50. 강의 피드백 해주기
51. 자일리톨 원석 먹기 하루 3개
52. 찬물 줄이고 물 미온수 먹기
53. 소금물 가글
54. 알람 듣고 바로 일어나기

최보규 방탄리더십 전문가의 습관 320가지 (2008년 ~ 진행 중)

55. 오전 10시 이후 커피 먹기
56. 믹스커피 안 먹기
57. 강의 즉보 주기
58. 강의 동영상 주기
59. 강의 녹음파일 주기
60. 블로그 좋은 글 나누기
61. 인스턴트 음식 줄이기
62. 아이스크림 줄이기
63. 빨리 걷기
64. 배워서 남 주자 실천(PPT)
65. 읽어서 남 주자 실천(책 속의 글)
66. 오른손으로 차 문 열기
67. 오손도손 오손 왼손 캠페인 전파하기
68. 운전 중 스마트폰 안 보기

69. 취침 전 30분 독서
70. 취침 전 30분 스마트폰 안 보기
71. 오늘이 마지막인 것처럼 섬기고 영원히 살 것처럼 배우기
72. 자존심 신발장에 넣어 두고 나오기
73. 내가 받은 상처는 모래에 새기고 내가 받은 은혜는 대리석에 새기기
74. 어제의 나와 비교하기
75. 어제 보다 0.1% 성장하기
76. 세상에서 가장 중요한 스펙? 건강, 태도 실천하기
77. 나방이 되지 않기
78. 마라톤 10주 프로그램 시작
79. 마라톤 5km 도전
80. 마라톤 10km 도전

81. 마라톤 하프 도전
82. 마라톤 풀코스 도전
83. 자기 전 5분 명상
84. 뱃살 스트레칭 3분
85. 아침 동기부여 사진 보내기 8시
86. 저녁 동기부여 사진 보내기 9시
87. 나의 1%는 누군가에게는 100%가 될 수 있다. 실천
88. 150세까지 지금 몸매, 몸 상태 유지 관리
89. 아침 달걀 먹기
90. 운동 후 달걀 먹기
91. 헬스장 등록
92. 오래 살기 위해서가 아니라 옳게 살기 위해 노력하는 사람이 되자
93. 남들이 하는 거 안 하기 남들이 안 하는 거 하기

최보규 방탄리더십 전문가의 습관 320가지 (2008년 ~ 진행 중)

94. 아침 결명자차 마시기
95. 저녁 결명자차 마시기
96. 폼롤러 스트레칭
97. 어제보다 나은 내가 되자
98. 남들이 안 하는 강의 분야 도전
99. 플랭크 운동
100. 스쿼터 운동
101. 계산할 때 양손으로 주고받고 인사
102. 명함 거울 선물 주기
103. 40살 되기 전 책 출간
104. 반 100년 되기 전 책 5권 집필하기
105. 유튜브[나다운TV] 강사심폐소생술
106. 유튜브[나다운TV] 나다운심폐소생술
107. 아.원.때.시.후.성.실 말 줄이기
108. 나다운 강사 책 유튜브 올려 함께 잘 되기
109. 리플렛으로 동기부여 시켜주기

110. 아침 8시 동기부여 메시지 만들어 보내기
111. 저녁 9시 동기부여 메시지 만들어 보내기
112. 어플 책 속의 한 줄에 책 내용 올리기
113. 책 내용 SNS 오픈
114. 3번째 책 원고 작업 시작
115. 4번째 책 자료수집
116. 뱃살관리 스트레칭 아침, 저녁 5분
117. 3번째 책 기획출판계약
118. 최보규강사사관학교 시작
119. 최보규강사사관학교 지회 원장 임명
120. 올 노(올바른 노력)공식 오픈
121. 행복, 방탄멘탈 공식 자자자자멘습금 오픈
122. 생화 네 잎 클로버 선물 주기
123. 세바시를 통해 극단적인선택 예방 전파!
124. 세바시를 통해 자자자자멘습금 사용설명서 전파!
125. 4번째 책 원고 시작 2021년 1월 출간 목표!
126. 전염성이 강한 상황 왔을 때 대처하기 위한 준비!
127. 코로나19 극복을 위한 공적 마스크 독고 어르신들 주기!

최보규 방탄리더십 전문가의 습관 320가지 (2008년 ~ 진행 중)

128. 아내를 위해 앉아서 소변보기
129. 들어라 하지 말고 듣게 하자
130. 좋은 사람이 되지 말고 좋은 사람 되어주자.
131. 좋아하게 하지 말고 좋아지게 하자
132. 보여주는(인기)인생을 사는 것보다
     보여지는(인정)인생을 살아가자.
133. 나 이런 사람이야 말하지 않아도
     이런 사람이구나 느끼게 하자.
134. 마음을 얻으려 하지 말고 마음을 열게 하자.
135. 믿으라 하지 말고 믿게 하자
136. 나에 행복 0순위는 아내의 행복이다!
     일어나서 자기 전까지 모든 것 아내에게 집중!
137. 아내 말을 잘 듣자 하는 일이 잘 된다!
138. 아버지가 어머니에게 이렇게 대했으면 하는 남편이
     되겠습니다. 매형들이 누나들에게 이렇게 대했으면
     하는 남편이 되겠습니다.
139. 내 몸은 아내꺼다. 빌려 쓰는 거다! 담배, 술, 몸에
     무리가 가는 모든 것 자제 하고 건강관리, 자기관리
     하겠습니다.
140. 아내의 은혜를 보답하기 위해 머리, 가슴, 몸, 돈으로
     실천하겠습니다!

141. 아내에게 받은 사랑(내조) 보답하기 위해 머리, 가슴, 몸, 돈
     으로 실천하겠습니다.
142. 아내를 몸, 가슴, 돈으로 평생 웃게 해서 호강시켜주겠습니다.
143. 아내를 존경하겠습니다. 세상에 아내 같은 여자 없습니다.
144. 아내 빼고는 모든 여자는 공룡이다! 정신으로 살겠습니다.
145. 많은 사람들에게 인정받는 남편이 아닌 아내에게 인정받는
     남편이 되기 위해 먼저 맞춰가는 남편이 되겠습니다.
146. 아내에게 무조건 지겠습니다.
     이기려 하지 않겠습니다. 아내 앞에서는 나직성자체를
     내려놓겠습니다. (나이, 직급, 성별, 자존심, 체면)
147. 지저분한 것(음식물 쓰레기, 화장실 청소)다 하겠습니다.
148. 함께하는 한 가지를 위해 개인 생활 10가지를 감수하겠습니다.
149. 최강자 학습지 시작 (최보규의 강사학습지, 자기계발학습지)
150. 홈코 시작(집에서 화상 1:1 케어)
151. 불자의 인생 시작
152. 나는 복덩어리다. 나는 운이 좋은 사람이다.
153. 베스트셀러 3권 달성 노하우 책쓰기 교육 시작
154. 유튜브, 유튜버 100년 하는 노하우 교육 시작

최보규 방탄리더십 전문가의 습관 320가지 (2008년 ~ 진행 중)

155. 방탄멘탈마스터 양성 시작
156. 나다운 방탄멘탈 책으로 극단적인 선택 줄이기
157. 아침 8시, 저녁 9시 방탄멘탈공식 SNS 공유
158. 5번째 책 2022년 나다운 방탄사랑
159. 2023 나다운 방탄멘탈 2
160. 2024 나다운 책 쓰기(100년 가는 책)
161. 2025 유튜버가 아니라 나튜버 (100년 가는 나튜버)
162. 2026 나다운 강사3(Q&A)
163. 2027 나다운 명언
164. 2029 나다운 인생(50살 자서전)
165. 줌 화상 기법 강의, 코칭(최보규줌사관학교)
166. 언택트(비대면)시대에 맞게 아날로그 방식 80%를
     디지털 방식 80%로 체인지
167. 변기 뚜껑 닫고 물 내리기
168. 빨래개기
169. 요리하기, 요리책 내기 위한 자료 수집
170. 화장실 물기 제거

171. 부엌 청소, 집 청소, 화장실 청소
172. 사랑해 100번 표현하기
173. 아내에게 하루 마무리 안마 5분 해주기
174. 헌혈 2달에 1번
175. 헌혈증 기부
176. 네 번째 책 행복 히어로 책 출간
177. 극단적인 선택조, 이혼율 낮추기 위한 교육 시작
178. 행복률 높이기 위한 교육 시작
179. 다섯 번째 책 원고 작업 시작
180. 여섯 번째 책 자료 수집
181. 운전 중 양보 해 줄 때, 받을 때 목례로 인사하기.
182. 다섯 번째 책 나다운 방탄습관블록 출간
183. 습관사관학교 시스템 완성
184. 습관 코칭, 교육 시작
185. 아침 8시, 저녁 9시 습관 메시지 sns 공유
186. 습관 전문가 되어 무료 케어 상담 시작
187. 습관 콘텐츠 유튜브〈행복히어로〉에 무료 오픈 시작

226

최보규 방탄리더십 전문가의 습관 320가지 (2008년 ~ 진행 중)

188. 여섯 번째 책 원고 작업 시작
189. 최보규상(대한민국 노벨상) 버킷리스트 설정
190. 2037년까지 운영진, 자금(상금), 시스템 완성 목표 설정
191. 최보규상을 1,000년 동안 유지하기 위한 공부
192. 일곱 번째 자존감 책 원고 작업
193. 여덟 번째 책 쓰기 책 자료 수집, 공부
194. 앉아서 일할 때 50분의 한번 건강 타이머 누르기
195. 세계 최초 자기계발쇼핑몰(www.자기계발아마존.com)
196. 온라인 건물주 분양 시작(월세, 연금성 소득 올릴 수 있는 시스템)
197. 일곱, 여덟 번째 책 출간 (나다운 방탄자존감 명언 Ⅰ, Ⅱ)
198. 자기계발코칭전문가 1급, 2급 자격증 교육 시작
199. 방탄자기계발사관학교 Ⅰ, Ⅱ, Ⅲ, Ⅳ 4권 출간
200. 2021년 목표였던 9권 책 출간 달성!
201. 하루 3번 호흡 스펙 습관 쌓기 시작
　　　(코 8초 마시고, 5초 멈추고, 입으로 8초 내뱉기)
202. 장모님께 출간 한 책 12권 드리기
203. 2022년 최보규의 책 쓰기9 원고 작업 시작
204. 100만 프리랜서들 도움주기 위한 프로젝트 시작

205. 방탄 자존감 코칭 기술
206. 방탄 자신감 코칭 기술
207. 방탄 자기관리 코칭 기술
208. 방탄 자기계발 코칭 기술
209. 방탄 멘탈 코칭 기술
210. 방탄 습관 코칭 기술
211. 방탄 긍정 코칭 기술
212. 방탄 행복 코칭 기술
213. 방탄 동기부여 코칭 기술
214. 방탄 정신교육 코칭 기술
215. 꿈 코칭 기술
216. 목표 코칭 기술
217. 방탄 강사 코칭 기술
218. 방탄 강의 코칭 기술
219. 파워포인트 코칭 기술
220. 강사 트레이닝 코칭 기술
221. 강사 스킬UP 코칭 기술
222. 강사 인성, 멘탈 코칭 기술

최보규 방탄리더십 전문가의 습관 320가지 (2008년 ~ 진행 중)

223. 강사 습관 코칭 기술
224. 강사 자기계발 코칭 기술
225. 강사 자기관리 코칭 기술
226. 강사 양성 코칭 기술
227. 강사 양성 과정 코칭 기술
228. 퍼스널브랜딩 코칭 기술
229. 방탄 리더십 코칭 기술
230. 방탄 인간관계 코칭 기술
231. 방탄 인성 코칭 기술
232. 방탄 사랑 코칭 기술
233. 스트레스 해소 코칭 기술
234. 힐링, 웃음, FUN 코칭 기술
235. 마인드컨트롤 코칭 기술
236. 사명감 코칭 기술
237. 신념, 열정 코칭 기술
238. 팀워크 코칭 기술
239. 협동, 협업 코칭 기술
240. 버킷리스트 코칭 기술

241. 종이책 쓰기 코칭 기술
242. PDF 책 쓰기 코칭 기술
243. PPT로 책 출간 코칭 기술
244. 자격증 교육 커리큘럼으로 책 출간 코칭 기술
245. 자격증 교육 커리큘럼으로 영상 제작 코칭 기술
246. 책으로 디지털콘텐츠 제작 코칭 기술
247. 책으로 온라인 콘텐츠 제작 코칭 기술
248. 책으로 네이버 인물 등록 코칭 기술
249. 책으로 강의 교안 제작 코칭 기술
250. 책으로 민간 자격증 만드는 코칭 기술
251. 책으로 자격증 과정 8시간 제작 코칭 기술
252. 책으로 유튜브 콘텐츠 제작 코칭 기술
253. 유튜브 시작 코칭 기술
254. 유튜브 자존감 코칭 기술
255. 유튜브 멘탈 코칭 기술
256. 유튜브 습관 코칭 기술
257. 유튜브 목표, 방향 코칭 기술
258. 유튜브 동기부여 코칭 기술

최보규 방탄리더십 전문가의 습관 320가지 (2008년 ~ 진행 중)

259. 유튜브가 아닌 나튜브 코칭 기술
260. 유튜브 영상 제작 코칭 기술
261. 유튜브 영상 편집 코칭 기술
262. 유튜브 울렁증 극복 코칭 기술
263. 유튜브 썸네일 디자인 제작 코칭 기술
264. 유튜브 콘텐츠 제작 코칭 기술
265. 유튜브 수입 연결 제작 코칭 기술
266. 유튜브 영상 홍보 코칭 기술
267. 홈페이지 무인시스템 연결 제작 코칭 기술
268. 홈페이지 자동 결제 시스템 제작 코칭 기술
269. 홈페이지 비메오 연결 제작 코칭 기술
270. 홈페이지 렌탈 시스템 제작 코칭 기술
271. 홈페이지 디자인 제작 코칭 기술
272. 홈페이지 제작 코칭 기술
273. 재능마켓 크몽 PDF 입점 코칭 기술
274. 재능마켓 크몽 강의 입점 코칭 기술
275. 재능마켓 크몽 이미지 디자인 제작 코칭 기술
276. 재능마켓 크몽 입점 영상 제작 코칭 기술
277. 재능마켓 크몽 입점 영상 편집 코칭 기술
278. 재능마켓 크몽 VOD 입점 코칭 기술
279. 클래스101 영상 입점 코칭 기술
280. 클래스101 PDF 입점 코칭 기술
281. 클래스101 이미지 디자인 제작 코칭 기술
282. 클래스101 영상 제작 코칭 기술
283. 클래스101 영상 편집 코칭 기술
284. 탈잉 영상 입점 코칭 기술
285. 탈잉 PDF 입점 코칭 기술
286. 탈잉 이미지 디자인 제작 코칭 기술
287. 탈잉 영상 제작 코칭 기술
288. 탈잉영상 편집 코칭 기술
289. 탈잉 VOD 입점 코칭 기술
290. 클래스U 영상 입점 코칭 기술
291. 클래스U 영상 제작 코칭 기술
292. 클래스U 영상 편집 코칭 기술
293. 클래스U 이미지 디자인 제작 코칭 기술
294. 클래스U 커리큘럼 제작 코칭 기술

최보규 방탄리더십 전문가의 습관 320가지 (2008년 ~ 진행 중)

295. 인클 입점 코칭 기술
296. 자신 분야 콘텐츠 제작 코칭 기술
297. 자신 분야 콘텐츠 컨설팅 코칭 기술
298. 자기계발코칭전문가 1시간 ~ 1년 코칭 기술
299. 강사코칭전문가, 리더십코칭전문가 1시간 ~ 1년 코칭 기술
300. 온라인 건물주 되는 코칭 기술
301. 강사 1:1 코칭기법 코칭 기술
302. 전문 분야 있는 사람 1:1 코칭 기법 코칭 기술
303. CEO, 대표, 리더, 협회장 품위유지의무 코칭 기술
304. 은퇴 준비 코칭 기술
305. 2023년 나다운 방탄리더십 1, 2, 3, 4, 5 출간
306. 나다운 방탄리더십 아침, 저녁 메시지 시작
307. 강사코칭전문가 자격증 시스템 시작
308. 방탄 리더십 원고 작업 시작
309. 방탄 리더 자존감 원고 작업 시작
310. 방탄 리더 멘탈 원고 작업 시작
311. 방탄 리더 습관 원고 작업 시작
312. 방탄 리더 행복 원고 작업 시작
313. 방탄 리더 자기계발 원고 작업 시작
314. 방탄 리더 코칭 원고 작업 시작
315. 마트에서 구입한 물건들 바코드 정렬해서 올리기
316. 장모님 머리 염색해 주기
317. 처남 금연, 금주 도와주기
318. 한 해 시작할 때 습관 영상 업로드
319. 결혼기념일 뻣지, 명함 제작
320. 뒤꿈치 들기 운동 시작

· [출간 한《나다운 방탄 리더십》책 내용]

다음은 월드클래스인 손흥민 선수가 손흥민존을 만들 수 있었던 스토리텔링이다.

여러분들은 손흥민zone을 아시나요?

손흥민존은 어떤 영역일까.

수비수 입장에서 굉장히 애매한 위치다. 골대와 가깝지 않으니 슛을 하라고 놔둬도 실점 가능성이 낮은 지역이다. 달려가서 막을 경우 상대 공격수가 자신을 제칠 경우 바로 실점 가능성이 굉장히 높아지는 지역이다. 적극적으로 다가가서 압박 수비를 하기에는 애매하다. 따라서 수비수와 공격수 사이에는 공간이 생긴다. 다른 지역보다는 공간이 꽤 생기니 공격수 입장에서는 자신의 리듬대로 슛을 하기 좋다. 하지만 골대까지 멀어 득점 가능성이 굉장히 낮다. 골키퍼 입장에서는 해당 구역은 약간 긴장감이 떨어지는 구역일 수 있다. 공격수가 슛을 하지만 골대 안까지 잘 안 들어오거나 와도 공이 약하다. 또 거리가 꽤 있으니 슛을 보고 반응해도 막을 수 있을 거 같은 구역이다.

아버지가 준 선물.

손흥민 아버지 손웅정씨는 국가대표 축구선수 출신으로 이 구역의 의미를 가장 잘 아는 사람이다. 이 구역은 수비수 입장에서도 골키퍼 입장에서도 굉장히 애매한 영역이므로 거꾸로 생각하면 훈련을 통해서 성과를 극대화할 수 있는 영역이다. 그래서 손웅정씨는 아들 손흥민을 위해서 좌우 500번씩 하루 1,000번씩 슛 연습을 함께 했다. 그 결과가 바로 손흥민 존이다. 그 덕분에 손흥민은 다른 선수들 도움 없이 온전히 혼자서 골을 만들어 낼 수 있는 자신만의 영역인 손흥민 존을 얻게 되었다. 그렇다면 왜 아버지는 손흥민 존을 만들어 주고 싶었을까? 온전히 혼자 힘으로 골을 만들어 낼 수 있다는 것 축구는 팀 스포츠이다. 혼자 아무리 잘해도 패스를 안 해주면? 골을 넣을 수 없다. 축구의 신 메시조차 팀을 옮긴 뒤 골이 급격히 줄어들지 않았는가. 유럽 무대에 아시아 축구 선수가 신입으로 들어왔다고 생각해 보자. 기존 유럽축구 선수들은 신입 아시아 선수를 무시할 가능성이 크다. 아시아 축구 선수의 실력 자체를 의심할 것이고, 따라서 패스를 안 해준다.(실제 해외 진출 실패했던 선수들의 인터뷰를 살펴보면 패스를 못 받았다는 얘기를 자주 볼 수 있다). 당연히 유럽 선수들은 이렇게 말할 거다. 아 인종차별이 아니라, 그 친구 실력이 부족하니 패스를 안 한 거라고.

실력을 인정받아야만 패스를 받을 수 있다. 하지만 신뢰받지 못하는 축구 선수가 어떻게 패스를 받을 수 있을까. 패스를 못 받으니 -> 골을 못 넣고 -> 역시 저 친구는 실력이 없는 아시아 선수군 -> 다시 패스를 못 받게 된다. 그렇게 악순환 고리에 빠지고 -> 역시 못하네. 이렇게 될 가능성이 아주 크다. 거기다가 유럽 현지 언어도 못 하니 말도 잘 못 알아들으니 점차 소외되고 팀에 못 어울리니 시간이 지나도 신뢰를 쌓지 못하고 여전히 패스를 못 받는다. 그러다가 결국 퇴출된다. 손웅정씨는 이런 상황을 내다보고 악순환 고리를 끊을 수 있는 비장의 무기를 만들어 준 것이 아닐까.
<티스토리 Tap to restart>

다윗이 골리앗을 이길 수밖에 없던 습관 스토리텔링에서 언급 했듯이 생활 속에서 사소하게 손흥민존을 만들기 위한 500번~1,000번 슛 준비, 학습, 연습, 훈련, 인고의 시간, 대가 지불, 시행착오를 통해 손흥민존을 만든 습관이 있었다는 것이다. 리더여, 자신만의 OOO존이 있는가? 방탄 리더 습관3why?기법이 리더 자신 분야 OOO존을 만들어 줄 것이다.

- 방탄 리더 습관3why?기법
첫 번째 왜? 어떻게 손흥민 존을 만들 수 있었을까?
두 번째 왜? 평상시에 어떤 습관이 있었기에?
세 번째 왜? 지금 사소하게 무엇을 시작해야 내 분야 OOO존을 만들 수 있을까?

사람은 습관을 만들지만 습관은 인생을 만든다. 리더의 좋은 습관은 리더 자신뿐만 아니라 회사, 팀원, 조직체, 사람들 인생까지 바꿔 줄 수 있는 힘이 있다. 더 나아가 리더의 좋은 습관은 사회와 나라에 선한 영향력을 끼칠 것이다. 방탄 리더 습관을 업데이트가 그 무엇보다 중요하다. 지금부터 리더 습관 보호막 원리, 학습, 연습, 훈련을 통해 갱생하자!

사람은 습관을 만들고
습관은 인생을 바꾼다!

리더의 습관은
자신, 회사, 팀원, 조직체
사람들 인생까지 바꿔준다!

평균 희망 은퇴 73세, 현실 은퇴 나이 49세!
100세 시대 언제까지 몸(노동)으로만
일해서 돈을 벌 것인가?

세상, 현실 기준에서 스펙, 돈, 인맥, 자산 등이 없어서 100세까지 노동을 해야 되고 몸까지 아프면 더 답이 없는 상황! 젊을 때는 100가지 중 99가지를 할 수 있지만 나이 들면 100가지 중 99가지를 할 수 없다. 3고 시대, AI 시대, 챗 GPT 시대에 자신의 직업이 사라 질 수 있는 상황에서 어떻게 준비, 대비할 것인가?

 방탄BOOK기술력
선택이 아닌 필수!

ONLY ONE
방탄
BOOK
기술력

- 방탄 리더십 교안 PPT 목차 3-2

· [출간 한《나다운 방탄 리더십》책 내용을 방탄 동 기부여 교육 PPT로 디자인]

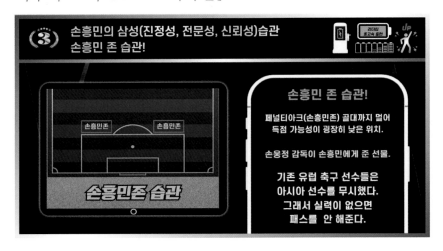

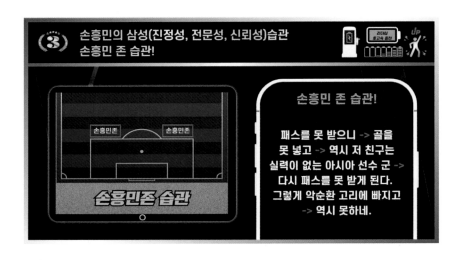

손흥민의 삼성(진정성, 전문성, 신뢰성)습관
손흥민 존 습관!

하루 오른발 500번 손흥민존

하루 왼발 500번 손흥민존

손흥민존 습관

손흥민 존 습관!

실력을 인정받을 때까지
온전히 혼자의 힘으로
골을 만들어 낼 수 있기 위해
좌우 500번씩 하루 1,000번씩
슛 연습을 시켰다.
그리하여 손흥민의 시그니처인
손흥민 존이 만들어졌다.

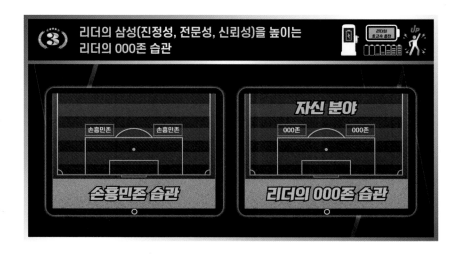

리더의 삼성(진정성, 전문성, 신뢰성)을 높이는
리더의 000존 습관

손흥민존 손흥민존

손흥민존 습관

자신 분야

000존 000존

리더의 000존 습관

한 분야 전문성으로 힘든 시대다. 이제는 포트폴리오 커리어 시대다. (포트폴리오 커리어: 한 분야 전문성 외 다수에 전문성이 있는 사람) 자신 경력을 왜 썩히고 있는가! 자신 경력을 활용해서 6가지 수입을 발생시킬 수 있는 방탄book기술력! 언제까지 몸(노동)으로 일할 것인가? 자신 경력이 일하게 하자! 자신 콘텐츠가 일하게 하자! 시스템이 일하게 하자!

직장은 자신 인생을 책임져 주지 않지만
방탄book기술력은 자신 인생을 책임져 준다.
직장은 자신을 배신하지만
방탄book기술력은 자신을 배신하지 않는다.

ONLY ONE

방탄
BOOK
기술력

- 방탄 리더십 교안 PPT 목차 3-3
· [출간 한 《나다운 방탄 리더십》 책 내용]
★ 리더 행복 심폐소생술!

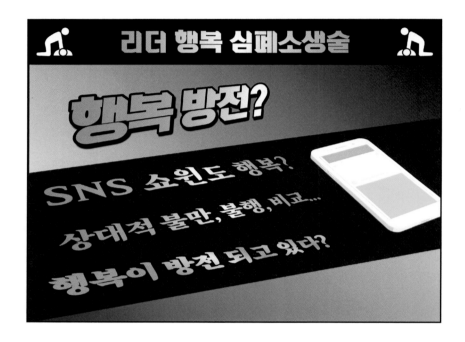

포노 사피엔스 시대(스마트폰 시대), 4차 산업 시대, AI 시대, 5G ~10G 시대, SNS 시대, 메타버스 시대, 챗 GPT 시대... 등 빛 보다 빠르게 변화하는 시대다.

2022년 세계 행복보고서에 의하면 세계 행복지수 1위는 필란드이고 2010년도에 세계 행복지수 1위인 부탄은 95위를 했다. 행복지수가 하락한 가장 큰 이유는 급격

하게 도시화가 진행되면서 인터넷과 SNS가 발달로 국민들의 자국의 빈곤을 알게 되었으며 다른 나라와 비교를 시작했다.

<국제연합(UN)>

스마트폰으로 인해 상대적 불행, 상대적 불만, 상대적 빈곤에 노출이 되어 자신의 행복을 도둑맞고 있다.

비대면 시대를 거쳐 3고(고환율, 고금리, 고물가)시대에 머리, 마음, 몸이 다 지쳐있고 경제적으로도 다 힘들어하는 상황이다.

힘들죠? 지치죠? 뭐 도와줄 거 없어요? 토닥토닥 위로, 격려가 어느 때보다 절실한 시대다.
"잘 할 수 있어!" 보다 "잘하지 않아도 괜찮아!" 이 말이 더 절실한 시기다.
"하면 된다!" 보다 "하는 데까지 해보자!" 이 말이 더 절실한 시기다.

지금 우리 리더들 각자 위치에서 애쓰고 있는 것을 안다. 결과가 나오진 않지만 지금 애쓰고 있는 것만으로도 잘하고 있는 것이다. 결과가 나와야 잘하는 건 아니다. 지금 잘하고 있는 거 알죠!

비대면 시대 때(2019년 ~ 2023년) "평상시 사소한 것들(가족, 애인, 친구, 지인들과 행복한 추억을 만들 수 있었던 장소들 놀이동산, 공원, 사우나, 영화관, 여행... 등)을 할 수 있는 것이 행복이었다."라는 것을 알게 해줬는데 마스크를 벗는 날이 오고 나니 사소한 것들이 행복을 준다는 것을 다시 망각하고 또 다시 악순환이 반복되고 있다. 이런 현실 속에서 리더 자신 행복, 가족, 팀원, 조직체 행복을 어떻게 만들고 지킬 것인가?

행복을 만들고 지키기 위해서는 리더 자신 행복도 중요하지만, 리더 위치에 있다면 지금 시대 행복 상황을 알

고 평균적인 사람들의 행복 개념을 알아야만 팀원, 조직
체 행복의 방향을 잡고 행복을 지킬 수 있다.

지금 대한민국은 행복 상황이 심각하다. 극단적인 선택
을 하는 사람이 한 해 12,000~13,000명으로 하루에
32~37명이 극단적인 선택을 한다. 이혼 건수는 1년
10,000건이다. 우울, 의욕 상실, 삶의 만족도 저하, 슬럼
프 등 모든 것들은 행복하지 않아서 생기는 것이다.

행복 호르몬인 세로토닌 부족으로 생기는 거다. 한해 교
통사고 사망자 2,000 ~ 3,000명이다. 극단적인 선택이

교통사고보다 4배가 더 많고 4배가 더 무서운 것인데 우리는 지금 뭐시 중헌지 모르고 집중을 엉뚱한데 하고 있다.

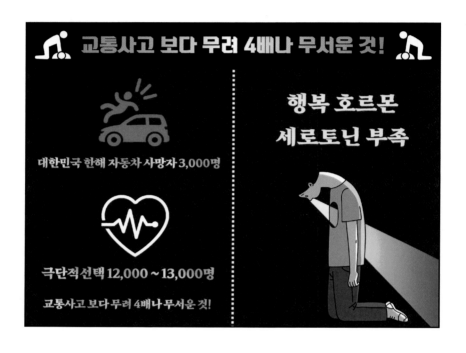

중요한 것에 집중하지 않고 주어진 것에 감사를 못하니 불만, 부정의 비교로 인해서 우울함과 삶에 의욕 저하로 삶의 질이 떨어진다는 것이다.

사람이 보는 것, 말하는 것, 행동하는 모든 것들은 자신의 행복을 위해서다. 사람이 하는 모든 행위는 결국 자기 자신이 행복하기 위해서다.

한마디로 인생을 사는 이유가 뭐죠? 행복하기 위해서 사는 것이다.

돈, 사랑, 인간관계, 여행, 취미, 운동, 공부, 자기계발, 자신 분야 전문가가 되기 위한 노력 등 모든 행동의 결과는 행복하기 위해서다.

그래서 리더는 팀원, 조직체 행복까지 고민, 생각을 해야 한다. 어떻게 하면 "팀원, 조직체를 행복하게 해 줄 수 있을까?" 팀원, 조직체 행복을 만들어 주기 위해서는 가장 먼저 리더 자신이 행복해야 한다.

리더가 행복하지 않은데 팀원, 조직체가 행복하겠는가? 리더가 행복하지 않으면 조직체는 모래성처럼 무너진다. "우리 리더를 보면 행복하지 않은 거 같아. 행복한 조직체를 찾아 떠나야겠다." "우리 리더는 행복한 사람이야. 함께 있으면 나도 행복한 사람이 될 수 있어. 우리 리더와 오래 함께 해야지."

리더여, 어떤 조직체를 만들고 싶은가? 당연히 후자일 것이다. 그럼 지금부터 무엇을 해야 하는가? 리더 자신부터 행복해야 한다. 리더 행복 학습, 연습, 훈련은 선택이 아닌 필수다.

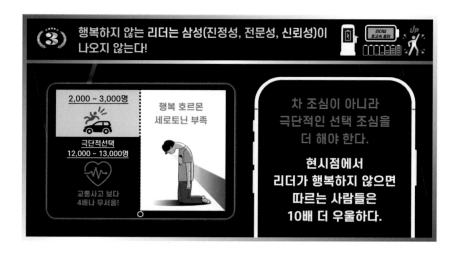

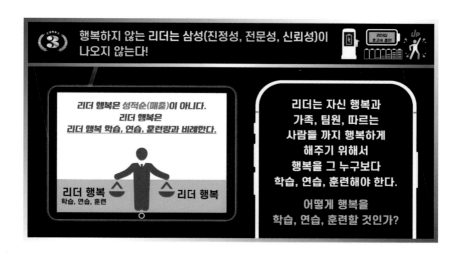

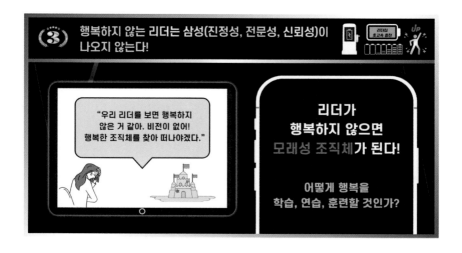

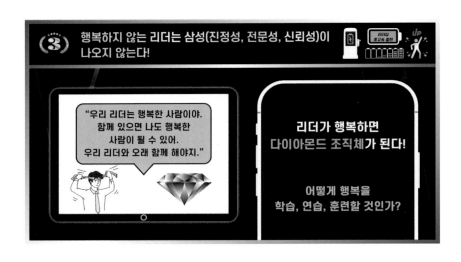

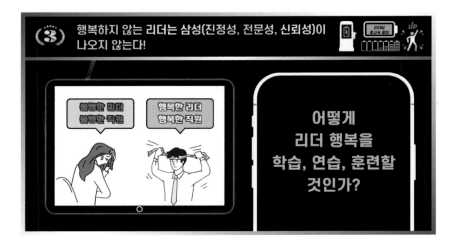

평균 희망 은퇴 73세, 현실 은퇴 나이 49세! 100세 시대 언제까지 몸(노동)으로만 일해서 돈을 벌 것인가?

세상, 현실 기준에서 스펙, 돈, 인맥, 자산 등이 없어서 100세까지 노동을 해야 되고 몸까지 아프면 더 답이 없는 상황! 젊을 때는 100가지 중 99가지를 할 수 있지만 나이 들면 100가지 중 99가지를 할 수 없다. 3고 시대, AI 시대, 챗 GPT 시대에 자신의 직업이 사라 질 수 있는 상황에서 어떻게 준비, 대비할 것인가?

  방탄BOOK기술력 선택이 아닌 필수!

· [출간 한《나다운 방탄 리더십》책 내용]

방탄 리더 행복 보호막 학습, 연습, 훈련
리더 행복은 영화가 아니라 드라마다!

리더 행복
전문학사

리더 행복
전문학사

행복히어로
행복 전문학사 72P ~ 73P

행복은 영화가 아니라 드라마다!

영화 같은 행복을 바라는가? 드라마 같은 행복을 바라
는가? 둘 다 해피엔딩? 둘 다 해피엔딩일까? 행복은
영화가 아니라 드라마다! 무슨 뜻일까? 영화처럼 2~3시
간 안에 즐거움, 기쁨, 슬픔, 아픔, 설렘, 감동, 고난, 역
경, 불행, 시행착오, 대가 지불, 스트레스, 우울, 배신,
믿음, 신뢰, 불안, 공포, 자괴감...등 모든 것을 한 번에
느끼게 해주는 것이 아니다. 행복은 드라마처럼 16부작
으로 나누어져서 조금씩, 조금씩 느끼며 알게 되는 것이
다.

나다운 행복 드라마는 10,400부작(1주일 2부작×52주
×100년) 이기에 하루하루에 집중(학습, 연습, 훈련)해야
지만 나다운 행복 드라마를 이해할 수가 있다. 마지막
회, 마지막에 행복이 있는 것이 아니다. 한 주 속에 행
복 있는 것이다.

행복이란 영화처럼 2~3시간 안에 모든 것을 때려 부어
서 느끼는 게 아니라 드라마처럼 한 주 한 주 조금씩
조금씩 느끼는 게 행복이다. 그래서 오늘 행복은 내일로
이월이 안 되는 것이다. 오늘의 행복에 집중하자!

《행복히어로》

리더의 행복도 영화가 아니라 드라마다. 하지만 매출, 결과, 목표 달성, 성과, 돈...한 달 정산에 행복을 미룬다. 리더가 결과(돈, 매출)에만 행복을 두면 따르는 사람들의 행복도 미뤄지는 것이다. 과정 속에서 조직체의 변화, 성장, 배움...등으로 지난 달 보다 나은 사람이 되어가는 사람들이 많아질 때 리더 행복, 조직체 행복은 높아진다.

리더 행복이 돈, 매출, 결과에 있는 건 순간 느끼고 끝나는 인스턴트 행복이다. 리더, 조직체의 몸, 정신이 변질된다.

리더 행복이 조직체의 배움, 변화, 성장, 어제보다 나은 조직체에 있는 건 오래 지속되는 천연 행복이다. 리더, 조직체가 건강해진다.

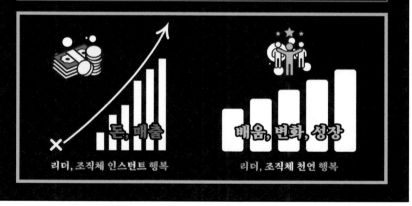

리더, 조직체 인스턴트 행복   리더, 조직체 천연 행복

- 방탄 리더십 교안 PPT 목차 3-4
· [출간 한《나다운 방탄 리더십》책 내용을 방탄 동기부여 교육 PPT로 디자인]

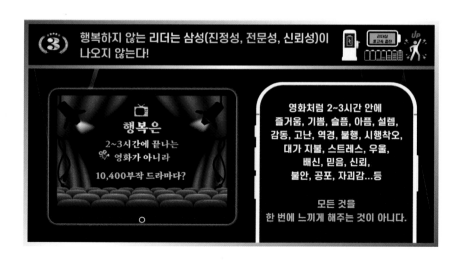

머무는 곳에 행복할 수 없으면 그 어디를 가더라도 행복할 수 없다!

행복은 드라마처럼 16부작으로 나누어져서 조금씩, 조금씩 느끼며 알게 되는 것이다.

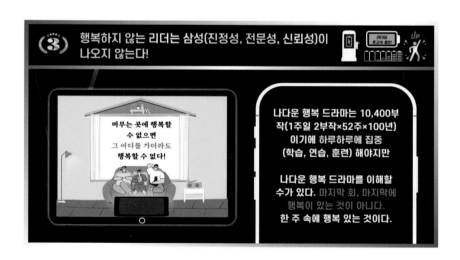

머무는 곳에 행복할 수 없으면 그 어디를 가더라도 행복할 수 없다!

나다운 행복 드라마는 10,400부작(1주일 2부작×52주×100년)이기에 하루하루에 집중(학습, 연습, 훈련) 해야지만

나다운 행복 드라마를 이해할 수가 있다. 마지막 회, 마지막에 행복이 있는 것이 아니다. 한 주 속에 행복 있는 것이다.

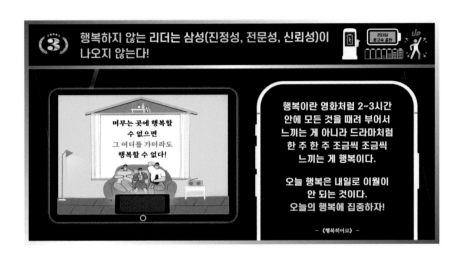

행복하지 않는 리더는 삼성(진정성, 전문성, 신뢰성)이 나오지 않는다!

머무는 곳에 행복할 수 없으면 그 어디를 가더라도 행복할 수 없다!

행복이란 영화처럼 2~3시간 안에 모든 것을 때려 부어서 느끼는 게 아니라 드라마처럼 한 주 한 주 조금씩 조금씩 느끼는 게 행복이다.

오늘 행복은 내일로 이월이 안 되는 것이다. 오늘의 행복에 집중하자!

- 《행복히어로》 -

행복하지 않는 리더는 삼성(진정성, 전문성, 신뢰성)이 나오지 않는다!

돈, 매출
리더, 조직체 인스턴트 행복

매출, 변화, 성장
리더, 조직체 천연 행복

리더의 행복도 영화가 아니라 드라마다. 하지만 매출, 결과, 목표 달성, 성과, 돈... 한 달 정산에 행복을 미룬다.

리더가 결과(돈, 매출)에만 행복을 두면 따르는 사람들의 행복도 미뤄지는 것이다.

- 방탄 리더십 교안 PPT 목차 3-5
· [출간 한 《나다운 방탄 리더십》 책 내용]

대한민국은 굶어서 죽는 사람은 거의 없다. 행복, 정, 사랑이 굶주려 극단적인 선택을 하는 사람은 많아지고 있다. 밥은 먹고 다니냐? 행복은 먹고 다니냐? 정은 먹고 다니냐? 사랑은 먹고 다니냐? 4차 산업 시대! AI 시대! 앞으로 5, 6, 7, 8, 9, 10G 시대! 기계문명은 초고속으로 발전하고 몸은 편해지고 있지만 안타깝게도 행복, 정, 사랑은 더 굶주려 가고 있다. 밥 굶는 사람보다 행복, 정, 사랑 굶는 사람이 더 많아지고 있다.

《행복히어로》

5G~10G 속도가 빨라지면 상상만 했던 것들이 더 많이 실현된다. 하지만 꾸준한 시간의 흐름 속에서 느낄 수 있는 행복, 정, 사랑은 느낄 새도 없이 사라져 간다.
사람 몸은 점점 편해지는데 정신은 우울, 불안, 스트레스, 번아웃...등 증상들이 더욱 심해지고 있다.

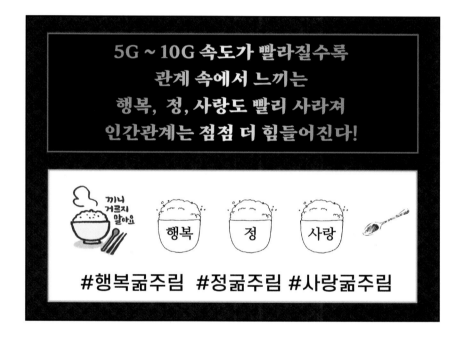

리더 행복, 조직체 행복을 굶주리게 하는 현실 속에서 리더는 리더, 조직체 행복을 보호할 수 있는 행복, 정, 사랑을 느낄 수 있는 시스템을 만들어야 한다. 리더는 행복, 정, 사랑의 굶주리고 있는 조직체를 위해서 사소한 것이라도 신경을 써야 한다.

이런 느낌

1. 따뜻한 햇볕 때문에 일요일에 늦잠 자다 깼는데 창문으로 바람이 살랑살랑 불어오는 느낌

2. 친구들이랑 휴가 가기 전에 같이 장 볼 때의 느낌

3. 해외여행 가는 비행기 안에서 출발전 창밖을 보는 느낌

4. 조용한 버스나 지하철에서 좋아하는 음악 듣는 느낌

5. 목요일에 아침 수업만 있고 금요일까지 공강 토, 일까지 쭉~시간이 많은 느낌

6. 밤에 자전거 타고 가는데 시원한 가을바람이 불어오는 느낌

7. 전날 밤샘 공부하고 마지막 시험 본 다음에 집에 와서 폰 꺼놓고 좋아하는 영화 연속으로 볼 때의 느낌

8. 겨울에 베란다에서 찬 귤 가지고 와서 따뜻한 이불속에서 까먹는 느낌

9. 늦여름에 긴팔 입고 학교 갔다 집에 오는 길에 시원한 바람이 불어 하늘을 올려다보는 느낌

10. 정말 힘들었고 하루가 끝나고 집에 와서 샤워하고 보송보송한 이불 덮고 누웠을 때 갑자기 졸리는 느낌

<플래닛드림>

이런 느낌 10가지를 보면서 어떤 느낌을 받았는가?
대부분 공감하고 설레게 하는 느낌들일 것이다. 이런 느

낌 10가지는 자신 행복, 정, 사랑이 느리게 충전된다는 것을 대부분 모른다. 자신의 행복, 정, 사랑을 초고속 충전시켜 주는 필자의 17가지 방법 공유한다.

이런 느낌은 어떤가요?

1. 주말 톨게이트에서 통행료 받는 분에게 사탕 하나 챙겨주는 느낌
2. 내가 자주 가는 장소에서 쓰레기 줍는 느낌
3. 좋은 글, 좋은 정보 지인들에게 보내주는 느낌
4. 만나는 사람들에게 작은 선물 챙겨주는 느낌
5. 감사하다는 말을 했을 때 '감사에 감사하다.'라는 말을 했을 때 느낌
6. 내 회사는 아니지만 누군가 말하기 전에 정수기 물통 교환해주는 느낌
7. 쓰레기통 뚜껑 커피 자국 물티슈로 지우는 느낌
8. 고마움 보답하고 싶다고 하는 분에게 진짜 그 고마움 보답하고 싶다면 자신보다 관심, 배려, 사랑이 필요한 사람에게 베푸는 것이 저에게 보답하는 길이라고 말해주는 느낌
9. 만나는 사람들에게 행복을 주려고 노력하는 느낌
10. 오늘이 마지막 날인 것처럼 만나는 사람에게 최선을 다하는 느낌

11. 전신기증 한 것이 사후에 160명 사람들에게 갈 거 생각하며 내 몸 더 관리하며 아끼는 느낌

12. 심리 상담할 때 같이 아파하며 울어주는 느낌

13. 마트에서 물건사고 계산 할 때 점원이 편하게 바코드를 찍을 수 있도록 구매한 모든 제품 바코드를 보이게 올려놓으니 점원이 하는 말 "마트 10년 동안 고객님 같은 분은 처음이네요. 바코드가 보이게 해줘서 너무 편했습니다. 너무 감사합니다."라는 말에 "별말씀을요." 말해주며 서로 행복해하는 느낌

14. 오손오손(운전석 오른 손으로 열기), 왼손왼손(조수석 왼손으로 문 열기) 스티커로 지인의 자녀 자동차 사고 예방한 느낌

15. 상대방 차에 탈 때 신발 털고 타는 느낌

16. 등산할 때 정상까지 쓰레기 주우면서 가는 행동을 보고 지인이 쓰레기 줍는 행동을 꾸준히 따라 하는 느낌

17. 편의점 범죄 하루 42건이고 한해 15,000건이다. 편의점에서 일하시는 분들 고충을 덜어 주기 위해 박카스 사서 주는 느낌

<최보규 방탄리더십 창시자>

정리를 하면 '이런 느낌 10가지'는 오로지 자신만을 위한 행동들이고 필자의 '이런 느낌 17가지'는 상대방을

위한 행동들이다. 그래서 행복, 정, 사랑을 초고속으로 채우기 위해서는 자신을 위한 행동도 있지만 상대방을 위한 행동들이 많아야 한다는 것이다.

리더가 줄 수 있는 느낌은 무엇이 있을까? 생일 챙겨주는 느낌, 결혼기념일 챙겨주는 느낌, 직원 가족 경조사 챙겨주는 느낌, 워크숍 가서 교육하지 않고 휴식만 하고 오는 느낌, 월요일 1시간 늦게 출근하는 느낌, 월요일 1시간 일찍 퇴근하는 느낌, 리더가 시원한 커피 사주는 느낌, 리더가 피로회복제 전체 사주는 느낌, 리더가 따뜻한 커피 사주는 느낌...등 사소한 것들이 행복, 정, 사랑을 굶주리고 있는 사람들에게 행복, 정, 사랑 허기를 채워 줄 수 있다.

사랑의 반대는 이별이 아니다. 무관심이다. 리더는 끊임없이 자신을 따르는 사람들에게 관심이 있어야 한다. 관심을 가지면 자신을 따르는 사람들에게 무엇을 해줘야 하는지 보인다.

앞에서 언급했듯이 매출의 1%를 리더가 더 챙기는 것이 아니라 조직체의 행복, 정, 사랑을 위해서 1%를 더 써야 한다. 단단한 조직체를 만들기 위한 최고의 강력 접착제인 행복, 정, 사랑에 더욱 신경 써야 한다.

- 방탄 리더십 교안 PPT 목차 3-5
· [출간 한《나다운 방탄 리더십》책 내용을 방탄 동
기부여 교육 PPT로 디자인]

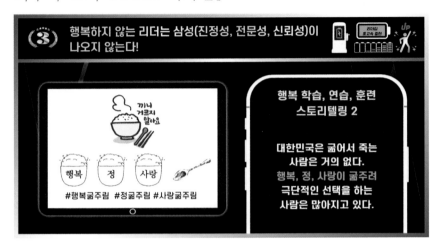

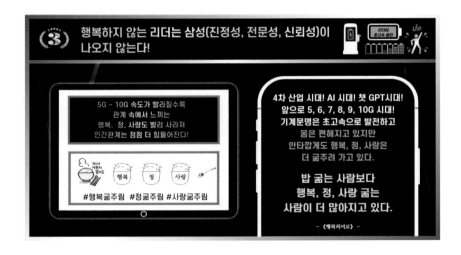

③ 행복하지 않는 리더는 삼성(진정성, 전문성, 신뢰성)이 나오지 않는다!

발전 속도 5G

행복, 정, 사랑 2G

5G~10G 속도가 빨라지면 상상만 했던 것들이 더 많이 실현된다. 하지만 꾸준한 시간의 흐름 속에서 느낄 수 있는 행복, 정, 사랑은 느낄 새도 없이 사라져 간다.

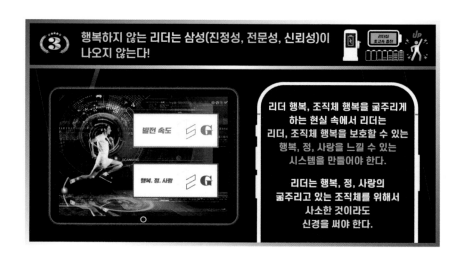

③ 행복하지 않는 리더는 삼성(진정성, 전문성, 신뢰성)이 나오지 않는다!

발전 속도 5G

행복, 정, 사랑 2G

리더 행복, 조직체 행복을 굶주리게 하는 현실 속에서 리더는 리더, 조직체 행복을 보호할 수 있는 행복, 정, 사랑을 느낄 수 있는 시스템을 만들어야 한다.

리더는 행복, 정, 사랑의 굶주리고 있는 조직체를 위해서 사소한 것이라도 신경을 써야 한다.

직원 생일 챙겨주기
결혼기념일 챙겨주기
직원 가족 경조사 챙겨주기
워크숍 가서 교육하지 않고 휴식만 하기
월요일 1시간 늦게 출근하기
월요일 1시간 일찍 퇴근하기
리더가 커피 사주기
리더가 피로회복제 사주기... 등

사소한 것들이 행복, 정, 사랑을
굶주리고 있는 사람들에게
행복, 정, 사랑 허기를 채워 줄 수 있다.

사랑의 반대는 이별이 아니다.
무관심이다.
리더는 끊임없이 자신을 따르는
사람들에게 관심이 있어야 한다.

관심을 가지면 자신을 따르는
사람들에게
무엇을 해줘야 하는지 보인다.

③ 행복하지 않는 리더는 삼성(진정성, 전문성, 신뢰성)이 나오지 않는다!

리더가 쏜다!

매출의 1%를 리더가 더 챙기는 태도가 아니라 조직체의 행복, 정, 사랑을 위해서 1%를 더 써야 한다.

단단한 조직체를 만들기 위한 최고의 강력 접착제인 행복, 정, 사랑에 더욱 신경 써야 한다.

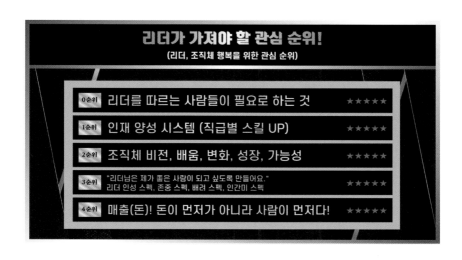

리더가 가져야 할 관심 순위!
(리더, 조직체 행복을 위한 관심 순위)

0순위	리더를 따르는 사람들이 필요로 하는 것	★★★★★
1순위	인재 양성 시스템 (직급별 스킬 UP)	★★★★★
2순위	조직체 비전, 배움, 변화, 성장, 가능성	★★★★★
3순위	"리더님은 제가 좋은 사람이 되고 싶도록 만들어요." 리더 인성 스펙, 존중 스펙, 배려 스펙, 인간미 스펙	★★★★★
4순위	매출(돈)! 돈이 먼저가 아니라 사람이 먼저다!	★★★★★

- 방탄 리더십 교안 PPT 목차 4

· [출간 한 《나다운 방탄 리더십》 책 내용]

★ 자기계발, 동기부여 책 200권, 영상 300개, 교육을 들어도 자기계발, 동기부여가 안 되는 이유?

- 상담스토리

최보규 방탄 리더 자기계발 전문가님! 저는 자기계발 책 200권 이상을 보고 유튜브 동기부여, 자기계발 영상 300개 이상 봤습니다. 시중에 있는 유료 자기계발 교육, 영상들도 많이 봤습니다. 볼 때만 느끼고 느낀만큼 실천 동기부여가 안 돼서 시간, 돈 낭비한 거 같고 언제까지 해야 하는지 답답하기만 하고 후회스럽습니다. 왜 나아짐이 없는지 이유를 알고 싶고 어떻게 하면 느낀만큼 0.1% 하나라도 실천할 수 있는 방법은 없는지요?

어떻게 하면 느낀만큼 행동으로 옮길 수 있을까요?

20,000명 심리 상담, 코칭 하면서 알게 된 것은 대부분 사람들이 늘 그때 뿐이고 실천 동기부여가 안 돼서 돈과 시간을 낭비하고 있는 게 현실이다.

10개를 느꼈다면 하나라도 실천해야 하는데 왜? 왜? 왜? 실천 동기부여가 안 될까? 어떻게 하면 자기계발 실천을 잘 할 수 있을까? 필자도 리더 자기계발 전문가가 되기 전까지는 늘 그때뿐인 자기계발을 했었다.

"어떻게 하면 할 수 있을까?" 라는 태도로 45년간 리더 자기계발 습관 320가지! 20,000명 심리 상담, 코칭! 리더 자기계발책 2,000권 독서! 자기계발 책 39권 출간으로 알게 된 리더 자기계발, 동기부여 비밀을 세계 최초 오픈한다.

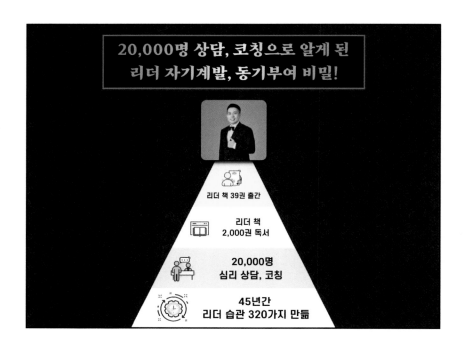

상담 스토리에서 자기계발 책 200권, 유튜브 자기계발, 동기부여 영상 300개 이상, 시중에 있는 유료 자기계발 교육 영상도 많이 봤는데도 실천 동기부여가 안 된다고 했다.

단언컨대 실천 동기부여가 안 되는 가장 큰 이유는 녹화 방송으로 배우기 때문이다. 녹화 방송? 사람의 심리, 본능은 직접 만나서 오감을 느낄 수 있는 생방송일 때 세상에서 가장 강력한 자기계발, 동기부여가 되어 행동으로 나오는 것이다. 과학적으로 검증된 데이터로 말하겠다.

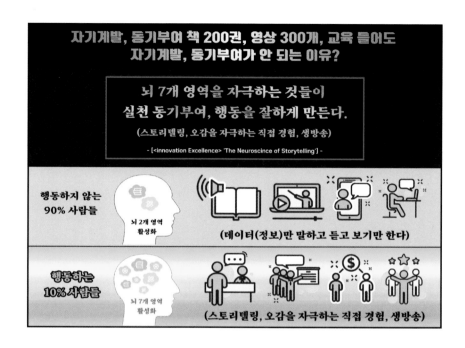

기본적인 사람의 심리는 데이터로(정보)만 말했을 때, 데이터로(정보)만 들었을 때, 데이터로(정보)만 봤을 때는 뇌의 2개의 영역만 활성화된다.

데이터가 아닌 스토리로 보고, 스토리로 듣고, 스토리로 말하고, 스토리로 경험을 하면 뇌의 7개의 영역이 활성화 되어 더 행동하게 만들고 더 실천하게 만든다.

뇌의 7개 영역이 활성화된다는 말은 한마디로 오감을 자극하는 것이다. 오감을 자극하는 것일수록 스스로 "움직여야겠다. 실천해야겠다."라는 동기부여를 강력하게 만든다.

평균적으로 사람들이 실천 동기부여가 약한 또 다른 이유는 아무런 시행착오, 대가 지불, 인고의 시간 없이 쉽게 느끼는 것들이기 때문에 실천과 행동이 나오지 않는 건 당연하다.

시행착오, 대가 지불, 인고의 시간이 들어가야 뇌의 7개 영역을 자극하고 오감을 느끼게 하여 실천 동기부여가 잘 되는 것이다.
시행착오, 대가 지불, 인고의 시간이 없는 동기부여가 뭘까? 피부로 확! 와 닿게! 해주겠다.

자기계발을 못 하는 사람들, 동기부여를 못 하는 사람들 90% 특징 중 하나는 집에 가만히 앉아서 최대한 편한 자세로, 최대한 편한 츄리닝으로 갈아입은 상태에서, 맥주 한잔 먹으면서, 차 마시면서 아무런 긴장감이 없는 상황 속에서 영상을 보기 때문에 실천 동기부여가 안 되서 행동으로 옮기지 못하는 것이다. 실천 동기부여가 안 되는 방법을 하고 있으니 행동으로 옮기지 못하는 게 당연하다.

"아~ 실천해야 하니까 지금 필사하자. 지금 메모해 놔야겠다!" 이런 사람 몇 명이나 될까? "영상, 글, 메시지, 이미지 감동받았어! 너무 좋다! 이거 저장해 두어야겠다!" 이런 사람 몇 명이나 될까?

순간 감동받았어, 느낌 좋았어! 땡 끝? 1초 느끼고 다 쓰레기가 되어버린다.

실천, 행동이 안 나오는 습관을 하고 있는데 자기계발 책 몇 천권, 자기계발 영상을 몇만 개를 보더라도 실천, 행동이 나오지 않는 게 당연하다.

자기계발, 동기부여 실천, 행동이 나올 수 있는 습관을 만들어야 한다. 자기계발, 동기부여 할 수밖에 없는 환경을 만들어야 한다.

자기계발, 동기부여 실천, 행동할 수 있는 환경이 되더라도 실천이 될까 말까인데 전혀 긴장감 없는 방구석에서 핸드폰만 클릭! 클릭! 클릭! 영상, 이미지, 메시지, 책만 보는데 행동이 나오겠는가?

책 한 권 가격은 평균적으로 15,000원이다. 유튜브 자기계발 영상, SNS 자기계발, 동기부여 영상들은 스마트폰 데이터만 어느 정도 소요되지 돈이 엄청나게 투자되는 게 아니다. 이런 것은 대가 지불이 아니다.

시행착오, 대가 지불, 인고의 시간이 무조건 들어가야만 자기계발 실천 동기부여가 잘 되는 건 아니다.
하지만 단언컨대 자기계발 실천 동기부여를 잘하는 사람들은 시행착오, 대가 지불, 인고의 시간을 무조건 거친다는 것을 명심하자.

앞에서 말했던 것을 간단히 정리하면 자기계발 실천 동기부여를 잘하려면 녹화 방송이 아닌 뇌 7개 영역을 활성화 시키는 오감을 자극 시키는 검증된 자기계발 전문가를 직접 만나서 학습, 연습, 훈련을 해야지만 실천 동기부여가 잘 된다. 오감을 더 자극 시키는 게 1:1코칭이다.

그래서 자기계발 실천 동기부여를 잘하려고 하는 리더들은 1:1코칭을 받기 위해서 교육에 투자하는 비용을 아끼지 않는다. 이 세상에서 손해 보지 않는 최고의 투자는 자신의 자기계발에 투자하는 것이다. 100%, 1,000%, 10,000% 수익률이 발생한다.

- 방탄 리더십 교안 PPT 목차 4
· [출간 한《나다운 방탄 리더십》책 내용을 방탄 동기부여 교육 PPT로 디자인]

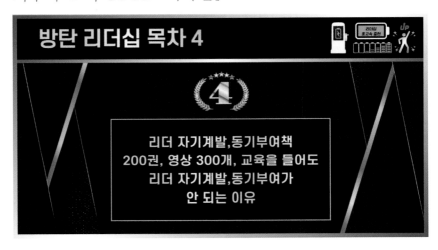

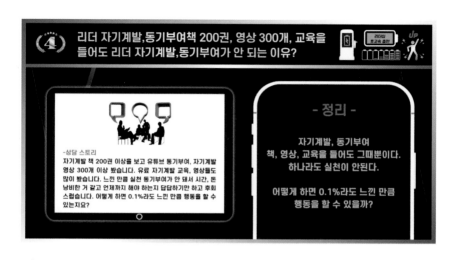

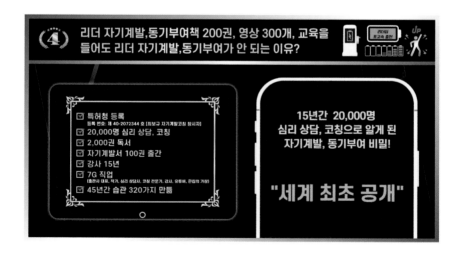

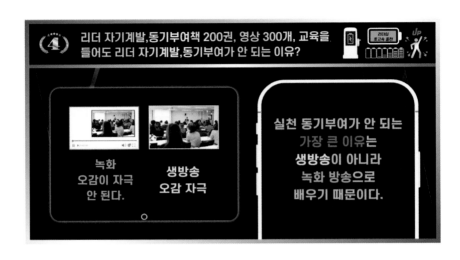

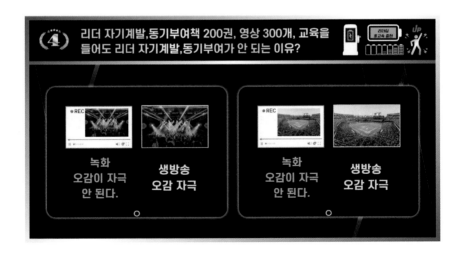

리더 자기계발,동기부여책 200권, 영상 300개, 교육을 들어도 리더 자기계발,동기부여가 안 되는 이유?

"영상, 글, 메시지, 이미지... 등 감동받았어! 너무 좋다! 동기부여된다!" 순간 1초 느끼고 다 쓰레기 된다!
언제 행동할 것인가?

사람들이 실천 동기부여가
약한 또 다른 이유 중 하나는
시행착오, 대가 지불
인고의 시간 없이
쉽게 느끼는 것들이 많다.

자기계발, 동기부여 못하는
사람들 90% 특징!
집에서 최대한 편안한 상태에서
츄리닝 차림으로 아무런 긴장감
없는 상태에서 영상 시청만 한다.

리더 자기계발,동기부여책 200권, 영상 300개, 교육을 들어도 리더 자기계발,동기부여가 안 되는 이유?

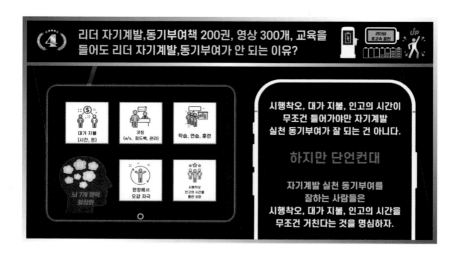

시행착오, 대가 지불, 인고의 시간이
무조건 들어가야만 자기계발
실천 동기부여가 잘 되는 건 아니다.

하지만 단언컨대

자기계발 실천 동기부여를
잘하는 사람들은
시행착오, 대가 지불, 인고의 시간을
무조건 거친다는 것을 명심하자.

방탄 리더십
2시간 강의 강사료 200만 원
교육 PPT 교안 순서

★ ★ ★ ★ ★

방탄 리더십

방탄 리더 1명이
10만 명을 변화 시킨다!

① 방탄 리더십 라포 형성 기법, 마음을 여는 기법
② 방탄 리더십 고.틀.선.편 깨기
③ 방탄 리더십 서론
④ SPOT 기법, 강의 집중 기법, 강의 환기 기법
⑤ 방탄 리더십 본론
⑥ SPOT 기법, 강의 집중 기법, 강의 환기 기법
⑦ 방탄 리더십 결론
⑧ SPOT 기법, 강의 집중 기법, 강의 환기 기법
⑨ 방탄 리더십 총정리
⑩ 방탄 리더십 피크앤드법칙(The Peak End Rule)

⑥ SPOT 기법, 강의 집중 기법, 강의 환기 기법

세상에서 최고의 자기계발, 동기부여는 건강관리다!

- 출처 <생로병사의 비밀>

▶ 영상 전체 내용!

500달러짜리 오십견 낫는 동작

사람에게는 143개의 관절이 존재합니다. 이 많은 관절을 움직여서 우리는 인간다운 삶 보다 높은 삶의 질을 추구하게 되죠. 그중에서도 360도 전후 좌우 자유자재로 움직일 수 있는 것은 이 어깨 관절이 유일합니다.

하지만 이 어깨 관절은 우리에게 자유를 주는 만큼 고통과 불편을 줄 가능성이 동시에 있습니다. 만약 여러분이 오십견을 예방하고 또 치료하고 싶으시다면 이 스트레칭 운동이 도움이 될 것입니다.

먼저 두 손을 뒷목으로 모아서 대주고 가슴을 쭉 내밀어줍니다. 하나, 둘, 셋, 넷, 다섯, 여섯, 일곱, 여덟, 아홉, 열. 이번에는 위로 손을 들어서 쭉 펴줍니다. 이것도 열 정도 해고해주세요. 하나, 둘, 셋, 넷, 다섯, 여섯, 일곱, 여덟, 아홉, 열. 이번에는 한 팔을 왼쪽으로 보내고 반대편 팔로 직각을 만들어서 펴줍니다. 그리고 반대쪽 방향으로 얼굴을 돌려서 쭉 늘려줍니다. 하나, 둘, 셋, 넷, 다섯, 여섯, 일곱, 여덟, 아홉, 열. 외국의 병원에서는 이러한 동작을 가르쳐주고 500달러에서 1천 달러 정도를 받는다고 합니다. 여러분들도 집에서 한번 실천해 보시기 바랍니다.

<유튜브 KBS 생로병사의 비밀>

◆ 참고문헌, 출처

《나다운 방탄 리더십》최보규, 부크크, 2023

《부하직원이 말하지 않는 31가지 진실》

<중앙일보 마이크로소프트사 킴킴 "빅데이터와 인공지능, 그리고 명상">

<facebook.com/ggumtalk>

《마음을 밝혀주는 소금 1》내용 각색

《당신을 지금 무엇을 생각하는가》이규성, 라이온북스, 2013

《사람을 남겨라》정동일, 북스톤, 2015

<유튜브 성공 비밀> 트레버 모아와드

<유튜브 사오TV>

<유튜브 터닝포인트 - 위대한 성공의 시작점>

<열정에 기름 붓기>

<유튜브 Demirören Haber Ajansı>

《리더 자기계발 PT 7》최보규, 부크크, 2023

《리더 습관 PT 5》최보규, 부크크, 2023

<심리학자 윌리엄 제임스>

<티스토리 Tap to restart>, <국제연합(UN)>

《행복히어로》최보규, 부크크, 2021

<플래닛드림>

<유튜브 KBS 생로병사의 비밀>

강사 비수기 5개월 6
(돈 못 버는 강사 돈 버는 강사)

발 행 | 2024년 08월 08일

저 자 | 최보규, 서윤희

편 집 | 최보규, 서윤희

디자인 | 최보규, 서윤희

마케팅 | 최보규

펴낸이 | 한건희

펴낸곳 | 주식회사 부크크

출판사등록 | 2014.07.15.(제2014-16호)

주 소 | 서울특별시 금천구 가산디지털1로 119 SK트윈타워 A동 305호

전 화 | 1670-8316

이메일 | info@bookk.co.kr

ISBN | 979-11-410-9860-5

www.bookk.co.kr